Mélody
des
faubourgs

Lucie JULIA

Mélody
des
faubourgs

roman

Éditions L'Harmattan
5-7, rue de l'École-Polytechnique
75005 Paris

Du même auteur

— *Les gens de Bonne-Espérance*, roman.

— *Chants, sons et cris, pour Karukéra*, poèmes.

© *L'Harmattan*, 1989
ISBN : 2-7384-0261-5

*J'ai exploré ma conscience
et je ne dis que les seules vérités
que m'a enseignées
la vivante expérience.*

Luis de CAMOES

*La misère et l'espoir n'ont pas pour bornes
les mystères
Mais de fonder la vie de demain d'aujourd'hui.*

Paul ÉLUARD

A Lucette,
Laure et Joëlle

A Berthile et Henriette,
femmes dockers admirables

Tout au cours de ces deux saisons - le carême et l'hivernage - c'est un pays rempli de soleil et de sons, inondé de pluies et de pleurs. Un pays où perlent des larmes dans les chansons des femmes, mélodies des luttes secrètes et arides comme la terre brûlante, des consciences qui couvent en silence comme les poules marronnes dans lé hazié (1).

Dans ce pays où le mythe s'évertue à épouser la réalité pour faire comprendre ou accepter la vie rude et ingrate, tout bon conteur qui se respecte, avant de débuter son récit, doit pousser ce cri de ralliement :

- TIM ! TIM ! (2)

L'assistance doit aussi lui répondre :

- BWA SEK ! (2)

Et tout le long du récit, chaque fois que l'imaginaire un cri de réveil :

- EH CRICK ! (2)

Un chorus spontané lui répond alors :

- EH CRACK ! (2) pour montrer que l'auditoire est bien présent, bien réveillé, qu'il écoute tout yeux, tout oreilles, et qu'il reçoit autant qu'il donne.

---

(1) Les halliers.
(2) Formules pour lancer et relancer un conte.

Tout ce que dit le conteur aurait pu être bel et bien arrivé, il n'y a pas de cela très longtemps. C'est pas d'antan où gyiab té ti gasson (3). Ceux qui n'ont pas la mémoire courte pourraient encore se souvenir de certaines choses. Ceux-là, tout au long de l'histoire sauront applaudir la réalité, et chaque fois que l'imagination, comme une folle, partira sur les routes de la fantaisie, ils pourront crier :

- Eh crick ! Eh crack ! (4)

pour revenir à la vie de tous les jours. La vie de tous les jours, c'est la vie simple et dénudée des femmes qui chantent en pleurant pour endormir leurs enfants qui ont faim.

C'est la vie des femmes qui aiment et qui cherchent le bonheur dans la misère, des femmes qui luttent en rêvant de changer justement cette vie.

monde au centre de la ville. Un tiers-monde au cœur du pays.

---

(3) Le diable était petit garçon.
(4) Formule pour relancer un conte.

I

Mélody pensait au père Sonson avec attendrissement.

- Pourquoi n'ai-je pas encore été voir père Sonson pour lui raconter mes soucis ? Lui seul peut m'aider sans me faire de reproche, se disait-elle.

Pour Mélody, comme pour la majorité des gens de Bonne-Espérance, le père Sonson était presque un personnage de légende, une sorte de prophète, un sage.

Il était auréolé d'un certain mystère, car il connaissait tant de choses.

Ainsi, depuis quelque temps, il ne cessait de répéter à qui voulait l'entendre :

- Ah ! la Gwadloup ka tranglé (1). Il n'y aura bientôt plus d'usines, les usiniers vont vendre toutes les bonnes terres de canne à sucre.

Et il ajoutait :

- Pas de canne à sucre, pas de sucre. Ici, au soleil chaud, il est en train de fondre, le sucre. On verra... On verra ce qui nous arrivera d'ici quelques années.

Ces paroles, venant du père Sonson, faisaient frissonner.

_____

(1) La Guadeloupe s'étrangle.

Elles semaient l'angoisse et un certain sentiment d'insécurité dans tous les cœurs et dans tous les foyers.

Chacun croyait aux prophéties du père Sonson. On disait qu'il possédait le don de divination. Cette réputation lui conférait une grande autorité à des lieues à la ronde.

De partout, on venait lui demander conseil, connaître son opinion sur tel problème ou tel événement, le faire rédiger lettres et demandes de mariage.

Les enfants qui poussaient candides, grâce à l'enchantement du merveilleux, le harcelaient sans cesse pour qu'il leur raconte ses fameux contes de compère lapin et compère zamba (2).

Mélody, elle, ne se lassait pas d'écouter ses intarissables histoires sur l'esclavage.

Le père Sonson racontait que son grand-père esclave avait toujours mawonné (3). Il refusait d'être esclave. Il commença à mawonner (4) dès l'âge de huit ans, il faisait alors partie du petit atelier.

Cette première fois, il eut vingt-cinq coups de fouet. Cela ne l'empêcha pas de recommencer. Il passa par tous les châtiments. Il fut marqué au fer rouge, eut une oreille coupée, et lorsque, chef de bande, il fut repris, on le condamna à mort.

Mais il se moquait des supplices. Sur le bûcher, alors qu'il avait déjà les deux jambes dévorées par le feu, il continuait à fumer son gros cigare, l'air serein, un sourire furtif au coin de l'œil.

- Et la dignité... alors ! C'est cela être digne, concluait toujours le père Sonson.

Le père Sonson n'arrêtait pas de parler de l'esclavage, du Code noir, de la société des amis des Noirs avec l'abbé Grégoire.

De même, il parlait de Verdun, du Chemin des Dames

---

(2) Animal mythologique.
(3) Fui.
(4) A fuir.

et proclamait qu'il avait été jusqu'aux Dardanelles pendant la guerre 14-18.

Il aimait aussi parler de Légitimus.

- Légitimus a donné le lycée gratuit aux enfants des malheureux, des travailleurs, des coupeurs de canne de Guadeloupe, assurait-il.

Cependant il stigmatisait l'infâme pratique de fraîcheur (5) de ce même Légitimus.

Il racontait aussi comment René Boisneuf avait disparu à la barbe des gendarmes venus l'arrêter, en plongeant dans une jarre remplie d'eau.

Et chacun écoutait respectueusement le père Sonson, en secouant la tête d'une manière entendue, car chacun à Bonne-Espérance croyait ferme que lui aussi connaissait pas mal de secrets laissés par les anciens et qu'il avait entre autres la faculté de se métamorphoser en chien.

Plusieurs personnes assuraient avoir souvent rencontré sur leur route au profond de la nuit un chien superbe, un chien bien noir à la tête toute blanche, comme la tête du père Sonson, et qui avait aussi ses yeux vifs et sa démarche trotteuse.

C'est en pensant à toute cette légende autour du père Sonson que le soir venu Mélody prit le chemin qui conduisait à la case du vieux corps.

Elle avançait sur la lisière qui longeait le petit chemin de fer des trains de canne à sucre. Elle regardait, les yeux mouillés, ces champs et ces champs de canne à sucre qui s'étendaient interminables à l'horizon et elle pensa tout d'un coup.

- S'il arrive qu'un jour, on supprime tous ces champs, que ferons-nous ? Comment pourrons-nous vivre et faire grandir les enfants ? Nous mendierons du pain aux chiens, mon Dieu !

Mélody regretta tout de suite ces pensées sombres et funestes.

---

(5) Flagellation avec des lianes.

- Je suis vraiment braque d'avoir eu soudain une telle idée, comment penser à un tel malheur ? se reprocha-t-elle.

Et vite, elle se signa pour conjurer le mauvais sort que ses folles pensées pouvaient attirer sur Bonne-Espérance.

Elle s'engagea alors derrière la hat (6), dans le sentier qui conduisait à la case du père Sonson.

C'était entre chien et loup, à l'heure où un grand calme régnait sur la campagne. Les gros manguiers majestueux étalaient toute la plénitude de leur frondaison, en bravant les lueurs mourantes du soleil couchant.

La nature semblait se taire à l'approche de la nuit, comme pour laisser s'épandre dans l'air la sérénité de ces courts instants crépusculaires.

Mélody avançait vers la case du père Sonson, essayant de faire pénétrer cette paix de la nature dans son cœur et dans son esprit tourmentés.

Elle humait à pleins poumons le mielleux parfum des touffes de tibom'm (7) bordant le sentier.

Le patriarche était assis au seuil de sa porte comme d'habitude en fin de journée. Il fumait sa pipe. Une grosse pipe qu'il avait fabriquée lui-même avec de la boue grasse, et qui devenait rouge et transparente une fois allumée.

Le père Sonson, tel un prêtre aztèque tirait de longues bouffées nuageuses et grises en direction du soleil qui mourait à l'horizon. Il paraissait impérial avec sa tête toute blanche et ronde à l'allure altière, bien posée sur ses larges épaules.

A la vue de Mélody au bout de l'allée, toute la bonté de son cœur se refléta soudain dans ses petits yeux plissés au regard encore vif et pétillant.

Parmi toutes les jeunes filles de Bonne-Espérance, le père Sonson affectionnait particulièrement Mélody.

Il aimait son innocence, sa gentillesse, sa curiosité insatiable de la vie et des événements passés. Il admirait sa voix

---

(6) Enclos, parc.
(7) Arbuste odorant.

douce et prenante, adorait l'entendre chanter et l'appelait tourterelle de Bonne-Espérance.

Lorsqu'on reprochait à Mélody ses petits mensonges, car elle aimait raconter des histoires invraisemblables sur elle ou sur les autres avec un sérieux et un toupet étonnant, le père Sonson la défendait vivement.

- Ce sont des mensonges innocents, ce sont des inventions, des blagues pour plaisanter.

Et si l'on insistait à dire que Mélody était une fieffée menteuse, il se fâchait et disait irrité :

- Laissez-la donc tranquille... Elle fait son bonheur comme elle peut... C'est ainsi qu'elle fait son bonheur.

Pour le père Sonson, Mélody était la plus belle de Bonne-Espérance.

C'était, il est vrai, une magnifique fille au corps svelte, un peu fluet, une taille mannequin disaient certains, taille catalogue disaient d'autres. Son air affable et doux s'accentuait toujours d'un sourire en coin, montrant de jolies petites dents de nacre dans un visage au teint de jais, pur et net qu'elle tenait de son père.

Ainsi, le père Sonson était rempli de compassion pour cette petite fille seule au monde. Il disait avoir la responsabilité de la guider dans la vie et de la protéger.

Et en la regardant monter comme une ombre fantomatique et hésitante, au milieu des deux rangées de palmiers royaux bordant l'allée conduisant à sa case, il se dit :

-Tiens, tiens, hier soir j'ai rêvé que Mélody était assise, toute nue dans une savane couverte d'herbes honteuses (8). Elle jouait avec une petite grenouille chabine (9), comme avec une poupée. Drôle de rêve, va.

Père Sonson connaissait tant de mythes, tant de présages que ce rêve ne lui disait rien de bon. Il interpella cependant Mélody d'une voix détendue et cordiale.

- Alors ! la Mélo, bien bonsoir !

_____
(8) Herbes sensitives.
(9) Jaune de peau.

- Bien le bonsoir, père Sonson... Et le vieux-corps ? répondit timidement Mélody.

Le père Sonson arrêta rapidement son regard sur Mélody et sursauta, fronçant les sourcils, étonné.

Alors il comprit le sens de son rêve et demanda doucement :

- Alors Mélody ma doudou (10), on dirait que ça va mal pour toi ?

Sans répondre, Mélody éclata en sanglots. Et toutes ces larmes si longtemps contenues se bousculèrent alors sur son visage bouleversé.

Le père Sonson la laissa pleurer un bon coup, tout en lui caressant les joues de ses longs doigts osseux et durs.

- Pleure pas, pleure pas, ma p'tite fille, répétait-il, ému...

Il la consolait comme il pouvait, et au bout d'un moment la voyant un peu calmée, lui demanda :

- Que se passe-t-il la Mélo ?

- Oh ! père Sonson, je suis enceinte et Murat m'a dit de ne pas le mêler à mon histoire... qu'il ne connaît rien à cela... que je suis folle à lier...

Et elle recommençait à pleurer et à gémir d'une voix inarticulée.

- Ce galapiat, ce lâche, il a osé te traiter ainsi... J'irai le voir demain, j'irai voir sa mère Elmire, et je leur parlerai à tous les deux, s'écria alors le père Sonson soufflé et indigné.

Mais, sentant la profonde désespérance de Mélody, il se calma bien vite et entreprit de l'apaiser.

- Tout s'arrangera, tu verras. Pleure pas la Mélo, tout va s'arranger...

Et se voulant goguenard, il poursuivit :

- Laissons ceci, prenons cela... Sais-tu que Dousron a acheté une belle limousine flambant neuve, mais comme il ne sait pas conduire et n'a pas de permis, il l'a enfermée

_____

(10) Chérie.

16

dans un garage où il va la contempler chaque jour que Dieu fait. Ah ! l'argent... vanité de l'argent...

Il essayait de la gorger d'anecdotes pour apaiser sa peine.

- Sais-tu aussi que Chérizelle s'est laissée embobiner en ville à la foire-exposition et a acheté un fer à repasser électrique sans faire travailler sa caboche pour penser qu'il n'y a pas d'électricité icite (11) à Bonne-Espérance... Non vraiment, tu ne crois pas que c'est trop malheureux... On achète, on achète... Qu'est-ce que tu dis de ça ?

Mélody ne semblait même pas écouter. Le père Sonson, voulant à tout prix la distraire, continuait mi-sérieux, mi-gouailleur :

- Et puis, il y a le fils du père Nicorbo qui lui a envoyé de France un superbe poste de radio. On dit au bourg que voulant savoir où était caché l'homme qui parlait dedans, Nicorbo a démonté le poste pièce par pièce.

Et pour essayer d'arracher un petit sourire à Mélody, le père Sonson se mit à rire de son gros rire sonore et là, un peu exagéré.

Mais Mélody n'avait pas le cœur à la rigolade. Elle continuait à pleurer doucement tout en suivant le cours de ses sombres pensées.

- Ah ! dans la vie il y a des malédictions qui se perpétuent.

Elle voulait se révolter et les larmes coulaient plus rapides encore sur ses joues moites.

- Ce n'est pas juste que je sois la cible de la déveine qui me poursuit si impitoyablement.

Mélody en rentrant chez Man Mano, essayait tout de même de s'accrocher éperdument à cette petite lueur d'espoir que faisait pointer dans son cœur la visite que le père Sonson devait faire à Elmire et Murat le lendemain.

Sur le chemin du retour, la nuit violacée des tropiques était brusquement tombée, toute mouillée de serein frais.

_____
(11) Ici.

Mélody allait pensive et endolorie.

Elle aurait aimé pouvoir secouer le destin, comme le disait père Sonson.

Mais elle se demandait comment faire. Elle se voyait toujours dans le pétrin et pensait que ses malheurs avaient commencé avec le départ de son père Congo. Congo, ce grand nègre beau comme un dieu, noir comme jais et à l'allure princière.

Mélody se souvenait vaguement de lui, mais elle en avait tant entendu parler, qu'elle s'en était fait une image bien à elle et qu'elle vénérait secrètement. Congo était raffineur à l'usine Blanchonnet.

- Personne ne savait mieux que mon père déterminer le point de cuite du sucre dans la batterie, aimait répéter Mélody en parlant de ce père inconnu.

Congo était apparu un beau jour à Bonne-Espérance et avait disparu aussi mystérieusement qu'il était venu, abandonnant Joséfa avec cinq enfants dont Mélody l'aînée.

Après le départ de son père, la mort tragique de ses quatre frères et sœurs dans leur case consumée, Mélody voyait sa famille comme une éclopée se démenant pour tenir debout, tombant, se levant, retombant, bousculée, ballotée, avec sa mère Joséfa fragile et vulnérable, luttant comme elle pouvait pour la faire vivre.

- Mais c'était tout de même la mienne, cette famille éclopée, se disait Mélody.

Depuis la mort subite de Joséfa, cette famille, pour Mélody, s'était évanouie dans les ténèbres sans fond d'une modeste petite tombe couverte de sable blond et entourée de conques de lambi (12) nacrées et roses.

Perdue dans ses tristes souvenirs, Mélody allait comme une automate dans l'obscurité, se cognant les orteils nus sur les grosses roches pointues émergeant comme des râpes assassines de la terre battue du sentier.

Mélody ne sentait même pas la douleur à ses orteils

---

(12) Mollusque marin.

ensanglantés. Elle rentrait, comme une brebis au bercail, dans une famille qu'elle aurait tant voulu être sienne et qui peut-être, demain, la chasserait.

Silencieusement Mélody s'était faufilée dans la buvette et avait préparé son grabat. Un étroit cadre de bois mal équarri, huché sur quatre longs pieds boiteux et sur lequel était posé une paillasse de vétiver.

Plus recroquevillée qu'étendue sur son affreux brancard, cette nuit-là, Mélody n'arrivait pas à trouver le sommeil. Rompue par l'inquiétude et l'insomnie, elle se laissait entraîner comme à l'accoutumée par ses fantasmes habituels.

D'abord reprenant toutes les idées et les paroles du père Sonson, elle essayait de comprendre et d'interpréter les présages du vieux-corps.

- Est-ce bien vrai que tout serait en train de s'écrouler ? se demandait-elle.

Elle constatait que c'était vrai puisque de plus en plus toutes les vieilles traditions s'estompaient.

- La famille par exemple, elle est en train de s'éparpiller comme paille au vent. C'est un peu comme le sucre, elle se meurt, la famille, jugeait-elle, avec l'emphase du père Sonson.

Revenant à son propre sort, elle avait ajouté bien tristement :

- Au train où vont les choses, aurai-je jamais la possibilité d'avoir ma propre famille ?

A cette pensée, Mélody avait tiré jusqu'à son menton, son drap de sac à farine blanchi au soleil, déjà usé jusqu'à la trame.

Elle avait senti un léger frisson avec une petite secousse brusque venant, il lui semblait, du fond de son ventre.

Cependant, elle continuait à suivre le fil de ses pensées nocturnes. C'était ainsi chaque nuit. Réveillée en sursaut par son cauchemar habituel, elle était ensuite assaillie par des réflexions insolites, trop mûres pour une fille de quinze ans.

Cette fois, elle éprouvait en plus un sentiment de vide étrange, d'inéluctable solitude, d'abandon.

- Depuis la mort de ma pauvre maman, je suis une sans-famille, et je me sens maintenant comme un cerf-volant en naufrage, flottant dans un ciel trop vaste.

A nouveau, elle ressentit cette drôle de sensation comme qui dirait quelque chose en train de bouger dans ses entrailles.

Elle frissonna à nouveau, posa la main sur son ventre tendu subitement comme la peau d'un gwo-ka (13). Alors, elle perçut distinctement comme une petite bourrade repoussant cette main indiscrète.

- Mais c'est la vie qui bouge en moi cria-t-elle, surprise, émerveillée, transportée comme dans un monde irréel.

- Ah ! bon Dieu, fit-elle encore, c'est mon enfant qui bouge. Y a-t-il plus grande joie au monde ? Mais avec qui la partager se demandait-elle, la voix étranglée par une vive émotion.

Mélody s'était d'un coup assombrie. Elle s'était souvenue des paroles cruelles que Murat lui avait jetées à la face, la veille.

- Tu es enceinte de moi ? Mais tu es folle, timafi (14). Ne me nomme jamais dans tes fables... Je t'avertis, oui... lui avait-il dit la voix et les yeux menaçants.

Alors son désarroi avait été infini.

Elle s'était sentie désemparée avec la même impression d'anéantissement que celle qu'elle avait éprouvée à la mort de sa mère. Si elle ne s'était pas maîtrisée, elle serait partie en courant comme une biquette aux abois. Elle aurait couru, couru sans jamais s'arrêter, jusqu'à ce qu'elle se soit précipitée dans un gouffre affreux.

Et voilà qu'en ce douvan-jou (15) avec les chants des coqs, pour la première fois l'enfant de Murat se manifestait.

---

(13) Tambour d'origine africaine.
(14) Fille de rien.
(15) Aube, aurore.

- Il est bien là, bien vivant. Ce n'est point une fable ni un rêve. C'est maintenant une certitude, s'affirmait-elle.

Les coqs continuaient à chanter le réveil dans tous les grands arbres tout partout. Il était trois heures du matin.

Dès quatre heures, les travailleurs des champs de canne venaient frapper à la buvette. Ils voulaient prendre le dékolaj (16), ainsi que leur didiko (17) de pain et morue frite avant de se jeter dans les pièces de canne emperlées par la fraîche rosée de la nuit.

Comme chaque matin alors, Mélody se leva, remua et tourna sa paillasse de vétiver, après lui avoir donné quelques bonnes tapes dessus, dessous pour la raffermir. Elle recouvrit son grabat avec soin, le poussa bien dans le coin et remit les tabourets en place, autour des petites tables de la buvette.

En terminant ces premiers gestes quotidiens, elle eut soudain très peur, et affolée se dit :

- Ce n'est pas là, sur ce grabat, dans cette buvette, que je mettrai mon enfant au monde. Ah non !... S'ils acceptent de me garder avec mon enfant, il faudra qu'ils m'acceptent dans leur foyer à côté. Sinon je ne resterai pas, je m'en irai... Mais où aller ?

Une angoisse atroce nouait sa gorge à lui faire perdre le souffle. Haletante, elle se sentait vaciller sur ses jambes devenues toutes molles comme si elles étaient en coton.

Elle s'assit sur le tabouret à proximité, appuya sa tête branlante contre la table et se mit alors à pleurer. A pleurer des flots de larmes intarissables.

Le jour se levait lentement. L'aube ne finissait pas de s'étirer paresseusement dans le clair-obscur. Le ciel se teintait de la couleur du feu de ce roi-soleil intraitable dont les rayons allaient peu à peu assécher les sources, les mares, mais non les larmes de la petite Mélody.

Pour elle, la vie, comme le carême, s'annonçait âpre et

---

(16) Petit verre de rhum blanc pris à jeun le matin.
(17) Casse-croûte.

sans pitié. Jusqu'ici, les jours qui s'ouvraient dans la vie de Mélody étaient tous pareils et la laissaient indifférente et insouciante. Mais celui qui se levait pouvait lui apporter des grands changements. Et elle pensait, frissonnante de fièvre :

- Dans la vie, il y a toujours un jour, un seul qui peut décider de la destinée d'un être.

Dans la journée même, elle put le vérifier. Le père Sonson était venu et avait d'abord parlé à Elmire Man Mano, puis à son fils Murat.

Ils n'avaient rien voulu entendre. Inflexibles, ils n'acceptaient aucun compromis, Murat niant le fait, sa mère en furie accablant Mélody avec une férocité implacable.

Mélody frappée de stupeur n'avait pu prononcer un mot. Sous la violence des propos, une douleur sourde s'était mise à lui pincer atrocement le cœur, lui faisant fermer les yeux. Cependant, elle ne versa pas une seule larme, seulement à certains moments, elle appliquait ses mains sur ses oreilles pour ne pas entendre leurs sarcasmes et leurs injures.

A la fin, pendant qu'Elmire la traitait de prétentieuse et de menteuse, Mélody entendit tout de même Murat lui crier, méprisant et dédaigneux :

- Tu es folle même, ti mafi (18). On voit que tu es bien la fille de ta mère la toquée.

Cette phrase, Mélody ne l'oubliera jamais et ne la lui pardonnera jamais.

Le père Sonson outré de tant de méchanceté avait tout de suite emmené Mélody, hébétée, chancelante. En partant il avait dit à Elmire d'un ton sévère.

- Jodi jou (19), c'est bien à toi Elmire, de jeter la pierre à Mélody, toi qui as fait l'expérience bien avant elle, et qui es bien placée pour savoir qu'on ne peut empêcher le feu de brûler, ni l'eau de mouiller.

---

(18) Fille de rien.
(19) Aujourd'hui.

Le père Sonson avait installé Mélody abattue chez Surprise, en attendant qu'elle puisse être en état de prendre une décision.

Le visage crispé, les yeux secs et fixes, une compresse humidifiée de rhum camphré sur le front, Mélody était étendue dans le grand lit-bateau en mahogany de Surprise. Elle revivait toute son enfance, ses frères et sœurs, ses amis, leurs jeux, leurs rires, leurs projets, leurs espoirs.

- Où se sont-ils donc envolés, tous mes espoirs ? se demandait-elle.

Elle était toute marrie de se voir aujourd'hui chez sa Mabo Surprise. Elle se rappelait que, lorsqu'elle s'était trouvée seule à la mort de sa mère, Mabo Surprise l'avait invitée à venir vivre avec elle.

Surprise avait été déçue et vexée de son refus et devinait bien pourquoi elle avait préféré aller travailler, nourrie et logée chez Elmire Man Mano. Surprise avait observé que, du jour où Mélody avait obtenu le premier prix au concours de chant à la fête communale, elle fut entourée par une bande de courtisans. Tous voulaient l'attraper et chacun voulait l'avoir. Petite proie sans défense.

Aussi avertie et rouée qu'elle était, Surprise n'avait pas manqué de remarquer aussi que parmi tous ces soupirants, Mélody était terriblement attirée par Murat au charme muscadin.

- Ce prétentieux ne fera rien pour elle, avait prédit Surprise.

Fils bâtard d'une négresse bon teint et d'un blanc de l'usine, on disait qu'il était bien sorti, car il avait la peau presque blanche. Un bon mûlatre... De ce fait, il ne se prenait pas pour rien. Son père, très tôt, l'avait placé comme contremaître à l'usine. Elmire, sa mère, rêvait pour son fils unique d'une fille à pochapé (20) et de surcroît fonctionnaire ; une institutrice la comblerait.

---

(20) Blanche, claire de peau.

Elle ne voyait donc pas d'un bon œil les amourettes entre Mélody et son fils Murat.

- J'ai déjà sauvé la race, Murat n'a que faire d'une fille couleur de bonda à chodié (21), avait-elle dit sans recours.

Mélody connaissait les propos désobligeants qu'Elmire tenait à son endroit mais elle avait préféré aller travailler chez elle, poussée d'ailleurs en douce par Murat lui-même.

Mélody étendue et toujours inerte sentait monter comme une houle de sanglots incapables d'éclater, qui cognaient au creux de sa poitrine oppressée.

Elle se mordait le pouce amèrement et pensait qu'elle avait eu tort de préférer la place chez Man Mano, à l'offre si généreuse de sa Mabo Surprise.

Elle se demandait aussi pourquoi elle n'avait jamais voulu aller travailler au bourg où à la Pointe ; pourquoi s'être entêtée à rester à Bonne-Espérance ?

Rester au pays, un impératif du père Sonson. Elle y avait souscrit entièrement.

Alors que les jeunes quittaient de plus en plus Bonne-Espérance, Mélody, encouragée par le père Sonson, était restée intraitable, constante dans sa décision d'y rester, et ne s'était jamais laissée tenter par l'attrait de la ville.

Au fond d'elle-même, elle voyait maintenant que si elle n'était pas partie, c'était pour être près de Murat. Et cette vérité avivait sa peine.

Elle pensait à toutes ses amies parties se louer en ville. Il y avait Célia qui, à la mort de son père Gros-Igène, fut la première à être placée, à quatorze ans, comme bonne d'enfants. Ensuite, ce fut le tour de Venise, Oriente, Evenore.

Toutes étaient placées dans les grandes maisons des blancs créoles en ville.

Toutes sauf Elzéa, la fille d'Erzulie qui, grâce aux connaissances de son père instituteur en ville, avait pu avoir une place de vendeuse au grand magasin : « Les Vitrines Parisiennes ».

---

(21) De derrière de chaudière.

Toutes ces filles étaient les bonnes amies de Mélody. Elles lui écrivaient souvent, lui conseillant de venir les rejoindre à la Pointe, lui promettant de lui trouver du travail.

Elle se rappelait qu'il n'y a pas longtemps, Surprise lui avait conseillé d'aller les rejoindre.

- Pars en ville la Mélo, tu n'as pas d'avenir à Bonne-Espérance, tu ne vois pas, même les plantations sont déglinguées. En ville, tu trouveras d'autres possibilités de t'épanouir.

Véhémente, elle lui avait répondu :

- Moi, partir ! Jamais je ne partirai... C'est ici à Bonne-Espérance que mon lombrik (22) est enterré. Là, sous ce cocotier, avait-elle ajouté en montrant du regard un grand cocotier qui lançait, altier, vers le ciel bleu, ses longues palmes effilochées.

Elle se souvenait même qu'elle s'était frappée trois fois la poitrine en jurant :

- Jamais, jamais, jamais bon Dieu je ne quitterai Bonne-Espérance.

Et Mabo Surprise avait répondu :

- Tu es trop jeune, ma Mélo pour frapper ainsi ta poitrine, tu ne sais pas ce que la vie te réserve. Elle est encore très longue devant toi... C'est moi, à mon âge, qui peux dire Kwa chyen, kwa gyab (23) je ne partirai de ma terre que les deux pieds devant.

Et Mabo Surprise avait fait une croix dans la poussière du sol et avait craché dessus pour conjurer le sort. C'est seulement à ce souvenir, que les larmes commencèrent à couler des yeux secs et brûlants de Mélody.

Elle se mit à pousser des petits cris plaintifs et brefs pareils à des appels de détresse.

Alors le cœur meurtri, elle prit la décision de partir. Partir très loin, très loin de Bonne-Espérance.

- Mais partir pour aller où ? se demandait-elle.

---

(22) Cordon ombilical, placenta.
(23) Croix de bois, croix de fer, je le jure.

Sur quel chemin ? sous quel toit ? que faire, ô bon Dieu, que faire ? suppliait-elle.

Le lendemain, le père Sonson s'était rendu à Nouvin pour savoir ce que Man'Cile et Cicie pouvaient conseiller et faire pour Mélody.

- Elle veut partir loin, très loin pour oublier Bonne-Espérance et ses malheurs, avait-il dit la voix chevrotante et cassée par l'émotion et la peine.

Cicie avait promis de lui trouver un toit, en attendant son accouchement.

Ce fut dans ces circonstances que Mélody, la mort dans l'âme, quitta Bonne-Espérance.

II

Mélody avait été placée au « Foyer des jeunes filles en pleurs », comme elle appelait l'établissement où Cicie l'avait emmenée. Elle l'appelait ainsi, car la directrice qui avait, disait Mélody, une Wôch galet (1) à la place du cœur, attisait chaque jour le chagrin de ses pensionnaires par des humiliations, des injures et des méchancetés. « C'est une maison qui déborde de pleurs et de larmes » répétait-elle chaque fois à Cicie, lorsqu'elle venait la voir.

Mélody pensait n'en avoir pas pour longtemps, dans cette maison, car elle s'était jurée d'en sortir le plus vite possible et de trouver du travail pour élever dignement son enfant.

Après son accouchement, une fois rétablie et l'enfant sevrée, elle voulut travailler. Man'Cile lui avait trouvé une place dans une maison de la Grand-rue. Il y avait trois servantes dans cette grande maison : la bonne d'enfants, la cuisinière et la ménagère...

Mélody était la ménagère.

La patronne était une dame toujours souriante mais,

_____
(1) Roche volcanique.

disait Mélody, sans un brin d'humanité. Il ne fallait pas qu'elle surprenne quiconque à ne rien faire, ne fût-ce qu'une seconde.

- Il y a toujours quelque chose à faire dans une maison comme celle-ci, disait-elle.

Elle exigeait que les servantes soient levées dès cinq heures du matin... Mélody devait leur apporter, à elle et à son mari, le café au lit. Après le réveil de la maison, il y avait les chambres à nettoyer, huit lits à faire : tourner et battre les matelas, secouer ou changer les draps, refaire les huit lits complètement chaque jour.

Puis, il fallait épousseter les meubles, balayer, frotter et cirer les parquets du salon et de l'immense salle à manger, battre les grands et lourds tapis...

Les jours de lessive elle restait des heures accroupie devant le grand bassin, lavant, frottant, fouaillant et tordant des tas de draps trop longs pour ses maigres bras. Et les jours de repassage, lustrant de gros complets de drill ou de tussor, plissant de délicates lingeries et des robes à fins volants.

On n'avait vraiment pas le temps de s'asseoir un instant. C'était un travail sans fin, chaque jour que Dieu fait, et du matin au soir, sans autre repos qu'un petit arrêt pour manger après la fin du repas des patrons, vers deux heures. Et ce n'était que très tard dans la nuit, qu'elle pouvait enfin bénéficier d'un sommeil agité dans le galetas obscur, hanté de chauves-souris...

Malgré la dureté du labeur, Mélody se plaisait beaucoup dans cette maison. Elle considérait que c'était là l'image d'une véritable famille, une famille complète comme celle qu'elle rêvait d'avoir. Elle aimait cette maison remplie de voix, de rires et de cris d'enfants. Il y en avait cinq et la patronne attendait un sixième... Mélody aimait bien s'attarder quelquefois près de la petite dernière âgée de deux ans et demi, un peu l'âge de sa fille... Pourtant, la petite Elizabeth toute blanche et rose, ne ressemblait pas à son Aimely toute noire avec sa jolie peau de sapoti (2). Et puis Elizabeth était grasse, potelée, une petite boule ronde, avec des yeux pétillants. Tout le contraire d'Aimely, maigrichonne avec un gros ventre, ses jambes fines et ses grands yeux tristes, son petit sourire inquiet et tout malheureux.

Mélody ne pouvait s'empêcher de comparer, et elle se disait :

- Mais pourquoi donc ces différences, pourquoi donc y-a-t-il des gens si chanceux avec une famille véritable, une belle maison, des enfants beaux et potelés, de l'argent, et d'autres qui sont, comme moi, Mélody, konkonm san grenn (3). Pourquoi cela ?

Elle réfléchissait devant sa bassine de linge sale ou sa table à repasser. Elle essayait de comprendre pourquoi il y a sur terre deux catégories d'hommes, de femmes et d'enfants. Elle pensait que cette différence lui semblait ici en ville beaucoup plus marquée et plus injuste qu'à Bonne-Espérance. Elle méditait sans cesse ces paroles qu'elle avait entendu père Sonson répéter très souvent :

- Pour transformer et changer les choses, comme les situations, il faut bien les comprendre ».

Mélody voulait comprendre, essayait de comprendre pourquoi la vie elle-même faisait ces distinctions.

Elle travaillait dur et économisait tout l'argent qu'elle gagnait pour pouvoir monter son ménage un jour.

- Il faut que j'aie ma maison pour prendre ma fille, il faut qu'Aimely ait son foyer bien à elle, se promettait-elle.

Elle vivait bien tristement. Depuis ses désillusions de Bonne-Espérance, son isolement et toutes les humiliations subies au « Foyer des jeunes filles en pleurs », elle n'arrivait plus à chanter. Elle jalousait les petites grenouilles futées qui, dès la tombée de la nuit, se mettaient à chanter sans

---

(2) Fruit exotique à la peau brune et veloutée de la famille des sapotacées.
(3) Dans la dèche.

arrêt autour du grand bassin et derrière les imposantes jarres, dans la cour.

Mais elle, Mélody, ne pouvait plus chanter. Elle sentait comme un étau qui lui serrait la gorge. A l'enterrement de sa mère, c'était pareil. Alors qu'elle aurait bien voulu chanter une dernière fois pour sa pauvre mère qui ne souriait qu'en l'entendant chanter, alors que tout le monde à l'église chantait avec le prêtre, elle avait été incapable de faire sortir un seul son de sa gorge. C'est alors qu'elle s'était mise à pleurer et à sangloter sans pouvoir s'arrêter...

Mais quelques mois après, sa voix était revenue... Et voilà que cet état l'avait reprise et persistait, avec la peine enfouie dans son cœur.

Elle ne connaissait d'autres joies que celle très mitigée de serrer sa petite Aimely dans ses bras pendant quelques instants, le dimanche après-midi.

Elle avait une après-midi de repos par semaine, elle en profitait pour aller voir l'enfant au « Lait amer », la pouponnière dépendant du « Foyer des jeunes filles en pleurs ».

Chaque fois, on multipliait les difficultés pour l'empêcher de voir sa fille, parce qu'une fois elle s'était plainte de la chevelure négligée de la fillette.

Et puis, Aimely ne « profitait » pas. A trois ans, on lui en aurait donné deux. Elle demeurait menue avec un tout petit visage chiffonné où dominaient d'immenses yeux sans lueur. Elle avait sur tout le corps, des petits feux (4) qui ne guérissaient pas.

Mélody considérait sa fille avec tristesse et jurait de tout faire pour la reprendre le plus vite possible.

- Pour ces petits feux (4), je lui aurais fait de bons bains avec des feuilles de Soumakyé (5) et sa peau serait déjà comme du velours, se disait-elle.

Elle ne racontait ses peines, ses soucis, ses inquiétudes pour sa fille, et aussi ses projets qu'à Cilote, cuisinière de

---

(4) Petits boutons.
(5) Herbe médicinale utilisée contre les boutons.

la maison depuis de nombreuses années... Mais Cilote, rentrait chez elle le soir, elle avait son ménage. C'était une grande personne. Elle était belle, Cilote, toujours souriante et attentionnée. Elle avait le cœur sur la main, elle avait toujours un mot de consolation et d'encouragement, était toujours prête à aider. Elle l'invitait chez elle à la cour Litin le dimanche après-midi et lui avait fait connaître un tas de gens. Sa maison était toujours remplie...

Cilote lui faisait beaucoup penser à Man'Cile ; d'ailleurs elle lui ressemblait physiquement.

Mélody lui faisait des confidences :

- J'ai deux regrets : c'est de n'avoir pas été longtemps à l'école, et de n'avoir pas une famille.

L'idée d'une grande et belle famille ne la quittait pas. Elle aurait voulu avoir de nombreux enfants. Elle n'arrivait pas à comprendre qu'on puisse dire que les femmes font trop d'enfants. Comment trop d'enfants ?

- Les enfants ne peuvent jamais être de trop. On dit qu'on ne pourra plus les nourrir tous, mais s'il y en a pour un, il y en a pour deux, affirmait-elle avec conviction lorsqu'elle discutait de ces problèmes chez Cilote avec ses copines.

Elle disait encore :

- Je ne sais pas ce que pense le père Sonson sur ce problème, mais je me rappelle que défunte Myonette avait murmuré avant de mourir :

- Nos enfants c'est notre seule richesse.

Et sans encore trop bien comprendre, Mélody réprouvait toutes les thèses que l'on diffusait et elle pensait :

- C'est inquiétant tout ce qui se passe... On plante de moins en moins de canne, il ne faut plus faire d'enfants, il faut partir travailler en France... Mais où allons-nous ?

Mélody gardait intact son ardent désir de s'instruire. Grâce à son amie Cicie, elle s'était inscrite au cours du soir.

- Même pour être femme de ménage, il faudra bientôt avoir son certificat d'études, lui avait dit Cicie.

Alors, trois fois par semaine, le soir, elle allait

apprendre à lire, à écrire et à compter. Sa patronne la voyant partir si légère et pleine d'entrain malgré les fatigues de la journée, disait en secouant la tête :

- Elle file un mauvais coton, son ventre ne va pas tarder à monter jusqu'à sa gorge. Une bouche de plus en chemin.

Elle pensait que Mélody avait sans doute un amoureux qu'elle allait ainsi, vent devant, rencontrer. Certes, elle avait des soupirants, mais elle conservait le souvenir de son expérience avec Murat, elle avait peur de se laisser prendre au piège encore une fois... Et puis, aimait-elle dire, elle n'avait pas encore rencontré l'homme de sa vie.

Au cours du soir, elle était assise près d'un jeune homme au nom bizarre de Ronmanoël... Il était docker et travaillait sur les bateaux venant de l'étranger. Chaque fois, il lui offrait une pomme ou une poire, toute espèce de fruits de France, qu'elle refusa au début. Finalement, un jour, elle accepta le petit cadeau.

- C'est de bon cœur, lui avait-il dit.

- Merci beaucoup de ta bonté, avait-elle répondu.

Et puis, il avait voulu savoir son nom et où elle habitait, ce que faisaient ses parents.

- J'habite chez mes parents, ma mère est couturière, mon père est contremaître à Bardroussié, et c'est le plus bel homme qu'on ait jamais vu, répondit Mélody sans se départir.

Un soir, Ronmanoël l'invita à sortir :

- Que fais-tu dimanche ? Puis-je venir demander à tes parents que tu viennes sur la place de la Victoire avec moi ?

- Oh ! non, pas de chance, chaque dimanche papa emmène toute la famille passer la journée à la campagne, à Bonne-Espérance... Car, nous sommes de Bonne-Espérance, répondit bien vite Mélody.

Ainsi Mélody s'était mise à fabuler.

De jour en jour, elle s'empêtrait dans ses fables et était obligée d'en inventer d'autres pour s'en sortir.

Cependant, elle aimait bien la compagnie de Ronmanoël, surtout lorsqu'il lui disait des choses gentilles en l'accompagnant un p'tit bout de chemin après le cours. Alors elle lui fit part, peu à peu, de quelques uns de ses projets. Elle n'en parlait d'ailleurs qu'avec Cilote, ayant peur de se confier et d'être ridiculisée ou traitée de prétentieuse.

Mais à Ronmanoël elle raconta qu'elle désirait s'instruire, avoir son Certificat d'Etudes des adultes pour travailler dans un magasin ou même à la Poste, pourquoi pas ?

Lui, disait aimer son travail de docker. Il pouvait ainsi rencontrer beaucoup d'étrangers et les faire parler de leurs pays lointains : la Seine, la tour Eiffel... Il rêvait de partir un jour en France sur un de ces bateaux paquebots, Colombie ou Antilles ou même Irpinia...

- C'est pour cela que je mets de l'argent de côté, confiait-il.

- Moi aussi, je mets de l'argent de côté, dit Mélody spontanément.

- Où prends-tu cet argent que tu mets de côté, puisque tu es chez tes parents, tu ne travailles pas encore, remarqua le jeune homme.

- Ah oui ! papa me donne chaque quinzaine de l'argent pour m'acheter ce que je veux. Alors, je ne le dépense pas, car je voudrais m'acheter un tas de choses : une bicyclette cadre-femme, et aussi un tourne-disques et des disques pour apprendre les jolies chansons à la mode.

Mélody laissait remonter tous ses vieux fantasmes. Ses propos, souvent, laissaient Ronmanoël perplexe. Il les trouvait singuliers, bizarres.

Un jour, ils parlaient de la messe du dimanche et Mélody lança l'air sombre :

- Moi, il y a longtemps que je n'ai mis les pieds dans une église, je n'aime pas les curés.

Elle pensait alors à l'abbé Sumbi que le père Sonson avait été voir pour qu'il parle à Elmire et à Murat, et les mettre en face de leur responsabilité au sujet du bébé.

L'abbé Sumbi n'avait pas levé le petit doigt et avait déclaré au père Sonson :

- Elle a commis le péché de la chair, elle doit faire pénitence.

- Elle n'a que quinze ans, avait répondu père Sonson. Elle est seule et sans famille.

- Elle doit payer. Elle doit payer, avait soutenu l'abbé Sumbi sans une parole de désapprobation à l'encontre de Murat, sans un brin de charité. De charité chrétienne...

Depuis, Mélody avait gardé une certaine méfiance vis-à-vis de la religion et de la rancune contre les curés, pas contre Dieu.

Elle disait à ses amies et à Cilote qui lui reprochaient de ne pas aller à la messe :

- Mon Dieu est en moi, à l'intérieur de moi ; je sens sa présence et je lui parle souvent, je n'ai pas besoin d'aller à l'église pour lui parler...

Ronmanoël était alors ahuri d'entendre les propos de Mélody et il la questionna :

- Pourquoi tu ne vas pas à l'église, Mélody, pourquoi tu n'aimes pas les curés ?

Elle fut un court instant prise au dépourvu ; elle ne pouvait pas raconter l'histoire du père Sumbi. Ç'aurait été dévoiler tous ses secrets. Subitement lui vint à l'esprit l'humiliation que le même M. Sumbi avait faite à Man-'Cile, et elle répondit sans perdre la carte :

- Les curés sont trop hypocrites et sans cœur, un curé a retiré l'hostie de la bouche de ma grand-mère, sans raison.

- On a excommunié ta grand-mère ? fit Ronmanoël, mais pourquoi ? Elle faisait des guiongons (6), elle vivait en concubinage ?

- Oh non ! C'est presque une sainte, Man'Cile, une femme convenable, la bonté en personne, avec la main sur le cœur. On lui a fait cet affront parce qu'on avait été dire au curé qu'elle votait communiste.

----

(6) Sorcelleries, sortilèges.

- C'est pas normal qu'un curé s'occupe de ragots. Tu sais ce que je pense, si la communion était quelque chose de vraiment indispensable, le prêtre ne l'aurait pas refusée à ta grand-mère.

- Je pense comme toi, moi aussi. De toute façon, c'est la conscience qui compte, renchérit Mélody en pensant à sa bonne Man'Cile.

Bien des fois Mélody s'était demandée :

- Mais pourquoi Man'Cile n'était-elle pas ma vraie grand'mère ? Elle est pour moi si douce, si bonne et si pleine de tendresse.

C'est donc sans gros effort d'imagination qu'elle parlait à Ronmanoël de Man'Cile, sa grand-mère. Elle en était chaque fois toute attendrie. Bien sincèrement. Elle lui parlait aussi de sa cousine Cicie, la fille de Man'Cile et pour faire impression sur Ronmanoël elle ajoutait :

- Ma cousine Cicie est fonctionnaire, elle a déjà été en France, elle connaît Paris. Lorsque nous étions petites filles, elle m'écrivait des chansons, et me disait : « Un jour, la Mélo, j'écrirai des livres et des histoires sur nous à Bonne-Espérance, et sur notre vie. »

Dans cette famille qu'elle s'était créée de toutes pièces pour épater Ronmanoël, il y avait aussi le père Sonson, son grand-père bien-aimé, sa tante Surprise qui l'avait portée au baptême et qui était une matoufanm (7).

Et Mélody mélangeait la réalité à ses fantasmes, mettant à nu ses états d'âme, ses rancœurs, ses inclinations et ses aspirations. Au début, elle s'amusait de pouvoir si facilement berner Ronmanoël, et petit à petit, elle s'était laissée entraîner à ce jeu. Jour après jour, elle s'était créée une apparence qu'elle améliorait de plus en plus et qu'elle prenait plaisir à faire vivre. Certaines nuits, elle rêvait qu'elle était vraiment ce qu'elle avait dit la veille et elle se réveillait, malgré son cauchemar habituel, pleine de joie de

---

(7) Maîtresse femme.

vivre. Elle avait été, serait-ce le temps d'un songe, ce qu'elle aurait voulu être.

Ainsi, petit à petit Mélody semblait refaire surface. Elle changeait physiquement, devenait plus coquette et semblait plus sereine. Son beau visage reflétait sa jeune âme douce et fière cependant ombragée par une peur maladive réfléchie dans ses grands yeux marrons, presque sauvages, toujours éperdus et inquiets. Au cours du soir elle apprenait très vite, elle faisait des progrès remarquables. On lui promettait, si elle continuait ainsi, de la présenter au Certificat d'Etudes des adultes dans deux ans.

C'était dimanche, Mélody avait promis à Célia, Mirette et Evenore de venir avec elles au cinéma. Elle irait d'abord au « Lait amer » voir Aimely et les rejoindrait après sur la place de la Victoire en face du cinéma Renaissance. Elle était très heureuse de porter à sa fille cette jolie petite poupée an matwon (8) qu'elle avait confectionnée et que Cilote l'avait aidée à habiller.

Elle s'en allait légère avec un petit sourire en coin, en pensant à la petite poupée, toute mignonne dans sa jolie robe à corps aux couleurs chatoyantes et son mouchoir de tête en madras.

- Elle est adorable et menue comme Aimely elle-même, se disait-elle.

La Grand-rue était déserte le dimanche et Mélody marchait au beau milieu pour regarder avec toujours le même ravissement, ces grandes maisons hautes plus pimpantes les unes que les autres avec leurs jolis balcons en fer forgé aux délicates volutes ajourées qui lui semblaient de la dentelle de fer.

Elle ne se lassait pas de regarder ces maisons, elle aurait aimé entrer dans chacune d'elles, visiter chaque pièce, monter les escaliers en bois de mahogany, se mettre au balcon et contempler de près les fioritures et les arabesques. Elle se voyait assise sur un de ces jolis balcons dans une

---

(8) De chiffons.

berceuse, surveillant Aimely en train de jouer avec un tas de beaux jouets.

Quittant la large chaussée pavée de la Grand-rue et ses belles maisons pittoresques, Mélody traversa le carrefour et longea les quais eux aussi déserts le dimanche.

Les quais, cœur et poumons à la fois de tout le négoce du pays. Dans la semaine, toute une multitude bigarrée et cosmopolite se pressait dans ces parages privilégiés des grossistes, fournisseurs, détaillants.

Mélody arriva sur le terre-plein devant la halle aux poissons pour rechercher l'ombre des rares raisiniers bord'mer (9) attardés en ces lieux.

La halle, vieille bâtisse laide et mastoc, placée presqu'à fleur d'eau, ressemblait à un long récif-barrière bordant le littoral. Derrière, la mer plate et sans une ride scintillait comme un miroir au soleil. Des petites vagues molles, paresseuses, poussées par la brise, clapotaient tout doucement en contrebas du bâtiment et sur des tas de conques à lambi (10) entreposées là par les mareyeurs.

Une forte odeur de marée se mêlait aux exhalaisons de vin, d'alcool, de salaisons et graisseries des maisons de commerce avoisinantes, et aussi à l'odeur de cambouis des bateaux à l'ancrage.

Des bateaux, il y en avait très peu ce dimanche-là, et quelques petits canots de pêche ressemblaient à des boîtes d'allumettes flottant entre les mastodontes de la mer.

Mélody s'attarda à lire leurs noms avec amusement.

- « Le Dieu merci », « Le Grâce à Dieu », « L'espoir fait vivre », « Le Pain quotidien »...

Le soleil était de plomb. Les effluves tout alentour des quais et la touffeur vespérale la suffoquaient. Un haut-le-cœur la fit tressaillir de nausée. Elle continua alors son chemin vers le Morne à Cailles, recherchant la fraîcheur des gros sabliers ombrageant la place de la Victoire.

---

(9) Arbre caractéristique des zones côtières donnant des petits fruits pulpeux, violets, pareils à des petits raisins.
(10) Mollusque marin.

Subitement, Mélody ne s'était pas sentie dans son assiette. Elle qui se vantait de n'être jamais malade et qui redoutait la maladie, eut soudain une idée lugubre :

- Si je suis malade, si je meurs, que deviendrait ma petite Aimely ?

Tout d'un coup lui vint à l'esprit un rêve fait dans la nuit. Elle avait rêvé que sa petite Aimely était devenue une grande jeune fille et qu'elle la voyait partir dans une grande voiture blanche, garnie comme pour un mariage, d'un flot de rubans blancs et de branches de mousseline verte et soyeuse.

Aimely elle-même était habillée tout de blanc comme une mariée et elle lui faisait de grands signes d'adieu en lui montrant son ventre sur lequel elle serrait une petite poupée en matwonn (11) habillée avec une barboteuse, comme un petit garçon et elle lui criait : « C'est mon fils maman, c'est mon enfant, je te le donnerai un jour, ma maman doudou ».

Au souvenir de ce rêve, Mélody se troubla et elle se demanda :

- Aimely n'est pas malade, mon Dieu ? Et son cœur se mit à battre si fort qu'elle se sentit défaillir lorsqu'elle vit la mégère au cœur de woch galet (12) s'approcher et venir à sa rencontre comme si elle l'attendait.

- Ah ! c'est la maman d'Aimely, fit-elle.

- Oui madame, je veux la voir, je lui ai apporté une petite poupée que j'ai faite moi-même, lui dit-elle en lui montrant avec fierté son œuvre.

- Ah ! c'est bien dommage, car vous ne pourrez la voir.

- Comment, comment ? dit Aimely, suffocant.

- Et vous ne la verrez plus !

- Je ne la verrai plus ? Mais pourquoi ? Et Mélody se mit à crier :

- Je veux voir mon enfant, je veux ma fille. Je la veux,

---

(11) De chiffons.
(12) Roche volcanique.

38

vous entendez. Je l'emmène tout de suite. Je ne peux plus supporter vos menaces et vos cruautés. Bourrelle, donnez-moi ma fille, je l'emmène, je l'emmène.

- Vous ne l'emmènerez pas puisqu'elle est morte, morte et enterrée, lança brusquement la femme.

Mélody, pétrifiée, la regardait la bouche ouverte, sans pouvoir dire un mot, les yeux exhorbités. On aurait cru que son sang s'était arrêté de couler dans ses veines. Et de noire qu'elle était, elle devint verdâtre. Tout tourna autour d'elle. Elle se croisa les deux bras sur la tête et se mit à tourner comme dans une valse folle, jetant tout sur sa trajectoire, poussant des cris qui firent trembler les murs de la vieille bâtisse, couvrant les pleurs de dix, vingt, trente enfants réveillés tous ensemble par la douleur d'une petite mère éperdue et désespérée. Alors percevant ces cris d'enfants à travers les siens, Mélody, comme une trombe, s'enfuit.

Comme poursuivie, elle descendit en flèche la petite pente du Morne à Cailles et se mit à courir, courir à travers les rues de la ville, puis à travers les faubourgs poussiéreux. Continuant à courir, courir, elle traversa un bourg sans le reconnaître, et toujours courant, courant sans arrêt, comme un cheval rentrant à l'écurie après une embardée, elle prit la route la conduisant vers ce qui restait pour elle, le seul refuge, son havre : Bonne-Espérance. Mélody courut des heures et des heures, elle traversa des champs de canne à sucre sans voir les tiges florales qui, comme des voiles brunes sur une mer immense, se balançaient au gré de la brise. Dans sa course effrénée, épuisée, Mélody buta sur une souche et sans force s'affaissa sur le sol. Inconsciemment, elle essaya de se relever mais resta accroupie à quatre pattes, et après s'être traînée sur les genoux pendant plusieurs mètres, elle se laissa choir, le visage contre terre. Alors elle s'immobilisa et attendit la mort, car elle voulait maintenant mourir. Elle sentit comme une lourde chape froide recouvrir tout son corps, elle se trouva heureuse et apaisée, car elle croyait qu'elle allait mourir.

Mélody vit tout sombrer, elle crut que le soleil s'était subitement éteint, alors elle s'évanouit.

C'est ainsi que le père Sonson, allant faire ses besoins à l'aube dans les fourrés, la trouva inerte et rigide sur le petit sentier bordé de ti bomm (13) derrière sa case. Elle avait le visage convulsé ; ses lèvres crispées, comme soudées, tordaient sa bouche affreusement. Des larmes séchées avaient laissé au coin de chacune de ses paupières closes deux petites concrétions mates et blanchâtres comme du sel, et sur ses joues deux traces comme des sillons.

Vite, le père Sonson alerta Surprise et comme ils purent, ils transportèrent Mélody chez Surprise et lui prodiguèrent des soins attentifs jusqu'à ce qu'elle ouvrit les yeux et revint à elle... Mais des heures durant, elle délira. Elle s'agitait, tournait la tête de droite à gauche, en murmurant des paroles où revenait souvent le nom d'Aimely.

Ce n'est que deux jours plus tard, dans l'après-midi du mardi qu'elle put se calmer et raconter son grand malheur... Mais elle refusait de vivre, s'alimentait à peine, restait assise immobile et silencieuse, dans un coin, pendant des heures. Parfois, elle jouait avec la petite poupée matwon (14), la berçait dans ses bras comme un bébé ou la soulevait et la projetait en l'air en disant :

- Op ! Op ! O pan panm ! ris donc, ris donc pour ta maman, ti doudou (15).

Et elle recommençait à bercer la poupée en chantant tristement.

Il y avait trois mois qu'elle était dans cet état d'hébétude.

Un jour, le père Sonson la voyant faire, dit doucement à Surprise :

- J'ai peur qu'elle ne devienne toquée, comme sa mère après l'incendie.

Mélody avait entendu. Brusquement, elle laissa tomber

---

(13) Arbuste odorant.
(14) De chiffon.
(15) P'tit chéri.

la poupée et se précipita dans les bras de Surprise en pleurant :

- Oh ! non, non, Mabo je ne serai pas comme la toquée, je ne veux pas être comme la toquée. Pas folle...

A partir de ce jour, elle ne joua plus avec la poupée et l'enferma discrètement au fond d'une boîte où elle rangeait ses affaires. Surprise et le père Sonson faisaient tout pour qu'elle reprenne confiance en elle-même, pour qu'elle s'en sorte et qu'elle soit à nouveau heureuse. Jour après jour, Mélody semblait vouloir reprendre goût à la vie. Elle parlait toujours de sa petite Aimely, mais maintenant, comme on parle d'un mort. Elle se faisait des reproches certes, mais semblait accepter son malheur.

- Je n'aurais pas dû la laisser si longtemps au « Lait amer », avec la bourrelle, j'aurais dû la reprendre, mais je voulais qu'elle rentre dans une véritable maison, avec tout ce qui est nécessaire. Je ne voulais pas la faire coucher à terre sur un tas de kabann (16), je voulais qu'elle s'asseye devant une table pour manger et non sur le plancher, son petit plat de fer-blanc entre les jambes comme moi lorsque j'étais petite fille... Je voulais lui acheter une jolie timbale avec son prénom gravé dessus comme les enfants de la Grand-rue, je voulais que mon enfant ait un foyer avec tout ce qu'un enfant doit avoir pour grandir décemment... grandir heureux.

Parfois, Mélody se demandait pourquoi travailler encore, pourquoi économiser de l'argent ?

- Maintenant à quoi servira tout l'argent que je déposais à la Caisse d'Epargne, c'était pour monter mon ménage, avait-elle dit un jour à Surprise.

- Mais il ne s'agit pas d'abandonner, tu réaliseras tous tes projets, comme cela tu auras déjà tout pour le prochain et tu pourras le garder avec toi, car tu en auras d'autres, plein d'autres, lui répondit Surprise.

Mélody secoua la tête incrédule en disant :

---

(16) Haillons, lambeaux d'étoffe.

- Murat m'a traité de folle comme la toquée, je ne reviendrai jamais à lui.

- Mais il n'y a pas que Murat, la Mélo ma doudou (17) reprit Surprise. La mère des hommes n'est pas morte, et belle comme tu l'es, tu rencontreras un bon p'tit jeune homme sérieux et travailleur. J'en suis sûre.

Mélody commençait à sourire aux paroles encourageantes de Surprise et à toutes ses plaisanteries. Surprise chantait de vieilles chansons créoles et la forçait à reprendre avec elle les refrains. Elle chantonnait enfin, et semblait s'intéresser à sa personne, se coiffait, s'habillait toute belle le dimanche et commençait à vouloir même aider Surprise dans le ménage et au jardin.

Et un jour, Mélody manifesta le désir de travailler à nouveau et de repartir pour la ville.

---

(17) Chérie.

III

Bégonia avait accueilli Mélody chez elle, en attendant qu'elle trouve du travail. Elle l'avait accueillie à bras ouverts selon cette solide tradition d'entraide qui liait dans une grande fraternité les gens de la terre, surtout lorsqu'ils se retrouvaient loin de leur terroir.

Mélody encore toute endolorie de sa dernière et si dure épreuve, peinée aussi d'avoir eu à quitter Surprise et père Sonson, ses seuls parents, comme elle disait, avait été très touchée de la chaleur de l'accueil.

Bégonia était dénommée à Bonne-Espérance la reine Chonon, à cause de sa façon particulièrement majestueuse d'ouvrir les laizes de sa robe dans un kalenda (1) voluptueux.

Elle fut, tout au début de l'an I de la Nouvelle République, l'une des premières femmes à quitter Bonne-Espérance. Elle n'avait qu'une seule fille, la petite Mirette si fine et si gracile, qu'on l'avait prénommée : la minglette.

- Mon paquet n'est pas lourd, je m'en vais, avant qu'il ne soit trop tard... Le père Sonson voit loin, avait-elle dit.

---

(1) Danse ancienne des esclaves.

De tout temps, Bégonia avait toujours rêvé d'aller vivre à la Pointe. Elle avait donc sauté sur l'occasion lorsque sa tante Yéyette lui avait trouvé à la cour Latman, faubourg Nozières, un p'tit deux pyès-kas (2) à peu près correct, bien situé et surtout pas trop loin d'une borne fontaine car affirmait Bégonia :

- L'eau c'est la première nécessité pour une femme propre.

Tante Yéyette, en faisant venir Bégonia, comptait sur elle pour lui succéder. Depuis de très longues années, elle était établie à la Pointe comme repasseuse.

Jour après jour, du lever au coucher du soleil, elle repassait des trey et des trey (3) de linge qu'elle lustrait avec ses petits fers chauffés sur un réchaud à charbon de bois. Sa clientèle était contente de son travail.

- Il n'y a pas meilleur coup de fer dans toute la ville que celui de Tante Yéyette, répétait-on.

Personne ne tuyautait mieux qu'elle un jupon ou une robe de fine dentelle. Et beaucoup de gros bonnets réclamaient à leur pantalon de drill ou de tussor et surtout de leur costume blanc de sortie, l'incomparable kouto (4) dont seule Yéyette avait le secret et la perfection.

C'était une bonne clientèle et une clientèle de choix qui attendait Bégonia. Mais elle avait refusé de prendre le métier de Tante Yéyette. Elle redoutait disait-elle l'inflammation de la chaleur des karo (5) et surtout le chaud et froid dont étaient souvent victimes les repasseuses.

Tante Yéyette en avait été bien chagrinée. Mais Bégonia avait sa tête et ses idées bien à elle... Elle ne voulait pas non plus, ni pour elle, ni pour sa fille Mirette, un travail de servante.

Selon elle, les emplois domestiques donnent une mentalité servile, d'esclaves, de mendiants, et elle disait :

---

(2) Pièces d'une case (un deux-pièces-cuisine).
(3) Grand plateau de bois.
(4) Pli de pantalon.
(5) Fer à repasser.

- Je ne laisserai pas l'esclavage des champs de canne à sucre pour celui de déyè chèz a Madanm (6).

Bégonia était une belle et vaillante négresse, robuste et bien plantée, pleine de force et de courage. Elle ne fut nullement effrayée par le travail des docks et avait préféré aller travailler aux docks à toutes les offres qui lui étaient faites.

Elle disait fièrement lorsqu'on lui demandait sa profession :

- Je suis dockèrze (7).

Elle avait trouvé pour sa fille un travail dans une limonaderie. Mirette lavait les bouteilles, collait les étiquettes des gazeuses (8), rangeait les caissons.

Mirette n'avait que quinze ans lorsqu'elle arriva à la Pointe avec sa mère. Elle travaillait sans rechigner et avec entrain. Elle avait de qui tenir et savait ce qu'elle prendrait si on était obligé de se plaindre d'elle à sa mère.

- Ce n'est pas avec Man'an Bégonia que je vais faire la lambine, se disait-elle.

Elle n'avait pas été trop dépaysée à la Pointe, puisque très vite, deux de ses amies Célia et Evenore étaient venues la rejoindre, puis Elzéa et maintenant c'était Mélody.

Mirette était ravie d'avoir Mélody avec elle. Elles partageaient un petit lit pliant qu'on ouvrait la nuit dans la salle de devant. Les premiers jours de l'arrivée de Mélody, les jeunes filles passaient une bonne partie de la nuit à causer, à se faire des confidences. C'était un chuchotement continu, des rires étouffés, jusqu'à une heure avancée de la nuit. Bégonia était forcée de cogner sur la cloison pour leur demander de se taire et de dormir.

Mélody passait la plus grande partie de son temps à chercher un emploi. Mais, pendant que Bégonia et Mirette étaient au travail, elle leur faisait le ménage, leur préparait

---

(6) Derrière les chaises des grandes dames.
(7) Femme docker.
(8) Soda.

les repas, faisait même un peu de lessive et de repassage, malgré les protestations de Bégonia.

Elle allait de temps en temps causer avec tante Yéyette qui lui avait appris à manier les longs fers cylindriques servant à tuyauter la lingerie fine. Alors tante Yéyette lui parlait de sa jeunesse et de ses amours, de sa venue à la Pointe et de sa vie si difficile dans ses débuts à la ville.

Mélody visitait aussi souvent que possible son ancienne compagne de travail devenue sa grande amie, la belle Cilote qui habitait toujours Cour Litin pas loin de Bégonia.

En allant rendre ces visites, elle musardait dans le quartier, traînant avec elle la nostalgie des champs, des bois, des arbustes de sa campagne de Bonne-Espérance. Elle essayait de faire connaissance avec cette partie des faubourgs que Bégonia appelait la main gauche de la rue Zabime.

Son périmètre d'excursions était limité par la rue Zabime, le boulevard Faid'herbe, le faubourg Bébian et la partie de la rue Hincelin jusqu'à la rue Zabime. Elle n'osait pas encore traverser la rue pour visiter la main droite de la rue Zabime dont on parlait tant.

Elle parcourait de long en large les trois ruelles parallèles qu'on appelait faubourgs parce qu'elles prolongeaient les rues dont elles portaient le nom : faubourg de Nozières, faubourg d'Ennery, faubourg Bébian.

Le faubourg d'Ennery était coupé par la rue Anatole Léger. Seule rue digne de ce nom, tout au moins à ses débuts sur la rue Zabime, en face de l'église St-Jules, elle était bordée de chaque côté pendant une dizaine de mètres, de trottoirs et de caniveaux en maçonnerie.

Partout ailleurs des fossés où stagnait une eau verdâtre peuplée de larves de moustiques et de golomin (9), par endroits encombrés de vases et d'herbes hautes, en d'autres, bouchés avec des détritus et des ordures de toutes sortes.

Point de jardins, ni d'espaces verts mais un peu partout

---

(9) Guppy : petits poissons de caniveaux.

dans les cours, des arbres à pain aux belles feuilles vertes et luisantes, découpées en patte de coq, qui dépassaient de leurs têtes majestueuses les toits de tôle rouillée des cases, dispensant généreusement aux habitants des cours, fruits, verdure et ombrage.

Entre les deux canaux, sur la place à charbon, il y avait encore quelques gros sabliers légendaires.

En sortant de chez Amie Bégonia pour aller chez tante Yéyette, Mélody ne manquait jamais de faire un p'tit détour par la place Voldemar, à l'encoignure de la rue Anatole Léger et du faubourg d'Ennery. Ce n'était qu'une sorte de plate-forme nue, une espèce de rond-point au cœur des faubourgs. Rien d'une place... Mais il n'y avait que là, dans ces faubourgs, que Mélody éprouvait la sensation de trouver un p'tit brin d'espace, d'air et de liberté.

Dans tout ce pâté de cases, en bordure des ruelles des faubourgs, d'innombrables couloirs, d'étroits corridors menaient à des cours plus ou moins étendues. Mélody ne les connaissait pas toutes. Mais à part la cour Latman où elle demeurait, elle connaissait très bien la cour Litin, avec ses trois entrées dont l'entrée principale était sur le boulevard Faid'herbe, la cour des Violettes, la cour Filomin, la cour Nounoune.

Toutes ces cours étaient occupées d'une infinité de cases et baraques, misérables pour la plupart, construites en planches ou quelquefois en caisses ou même en tôles. Des cases où l'eau rentrait comme dans un baril, à la moindre pluie. A l'hivernage, les faubourgs, leurs ruelles, leurs cases et leurs impasses, tout était transformé en véritables bourbiers, en d'immenses lagunes marécageuses.

Les faubourgs s'égouttaient alors très difficilement de toutes ces eaux, et il arrivait souvent en plein carême de trouver encore, dans les ruelles et les cours, des fondrières difficiles à franchir.

Chaque jour, Mélody traversait les deux canaux à ciel ouvert qui séparaient les faubourgs des grands quartiers, et allait frapper aux portes des maisons cossues de la ville pour essayer de trouver une place.

En parcourant ainsi les rues, elle faisait des découvertes étonnantes.

Elle dénichait entre cour et jardin, entourées de vastes galeries bien aérées, ces coquettes et somptueuses résidences en planches, cachées dans des frondaisons d'arbres à pain, de manguiers, d'arbustes, de crotons chatoyants et d'hibiscus colorés.

Rien à voir avec les grandes maisons à étages aux riches balcons de fer forgé qu'elle trouvait pourtant fantastiques.

Mélody ne pouvait en croire ses yeux.

Elle avait aussi découvert que la plupart de ces belles maisons hautes, aux façades décorées de balcons aux volutes de fer forgé, n'étaient que des cache-misère.

Une fois, sur le boulevard, de l'autre côté du canal, presque en face du Shell, voulant frapper à la porte d'une de ces maisons, elle s'était trompée d'entrée. Elle ouvrit un petit portail jouxtant la porte basse qu'elle longea sur quelques mètres et se trouva dans un long corridor occupé de part et d'autre de tas de petites cases vétustes séparées par d'étroits couloirs ténébreux. Des enfants couraient entre les couloirs sans soleil. Une femme lavait, assise sur le seuil de la chambre, la terrine dans le couloir. Croyant que Mélody voulait aller au fond, elle lui dit :

- Vous pouvez passer, je vais déplacer ma terrine.

- Ne vous dérangez pas, lui dit Mélody, je cherchais l'entrée de la grande maison.

- Ah ! c'est devant, il faut frapper sur la façade.

Mélody allait de surprise en surprise, elle pensait :

- Cette ville a tant de faces cachées et aussi tant de misère et d'indigence cachées.

Et elle pensait à Bonne-Espérance, à la vie plus humaine et plus saine, au grand air, aux enfants heureux, courant pieds nus dans les lisières des champs de canne, le soleil roussissant leurs cheveux. Elle plaignait ces enfants des corridors qui ne voyaient guère le soleil du fond de leur couloir.

Ainsi passaient les jours. Mélody commençait à s'ennuyer de ne pas travailler, elle disait vivre aux crochets de ses amies et se sentait très malheureuse.

Alors, elle demanda à Amie Bégonia de lui faire une petite place aux docks.

- Aux docks ? mais tu es maboule, la Mélo ? tu n'auras jamais assez de force pour ce travail, lui avait répondu Bégonia.

Mais deux jours plus tard, elle lui demanda si elle voulait toujours travailler aux docks.

- Il y a un chargement de ciment qui a subi de graves dégâts, demain on embauchera sûrement des occasionnelles pour ramasser le ciment.

Mélody sauta de joie, elle allait enfin travailler...

Le lendemain, très tôt levée, elle était partie avant six heures avec Bégonia qui la présenta. Elle fut embauchée pour trois journées.

Elles étaient cinq ou six femmes affectées au ramassage d'une quantité incroyable de ciment parsemant sur plusieurs dizaines de mètres les quais. Les autres femmes avaient l'habitude de ce travail. Bégonia connaissait certaines d'entre elles et leur avait dit :

- C'est ma nièce, expliquez-lui comment faire.

Et à Mélody, elle avait ajouté :

- Tu n'as qu'à observer ce qu'elles font, ce n'est pas difficile, tu verras... à plus tard !

Ce n'était pas difficile, mais il fallait faire vite, être leste et habile, se lever, se baisser, pour rassembler le ciment en tas et puis le prendre par pelletées pour remplir des sacs et des sacs. Elle essayait de prendre le plus de ciment possible à chaque pelletée, afin de remplir au plus vite les sacs. Elle suait, était couverte de la poudre de ciment, et cette poussière, qui lui rentrait dans les yeux, les oreilles, les narines, la suffoquait et la faisait éternuer à faire voler sa cervelle hors de son crâne. Et ses yeux n'arrêtaient pas de pleurer.

Une femme lui dit :

- C'est parce que tu n'es pas habituée, ça passera... mets ton mouchoir de poche sur ta bouche et ton nez.

Mélody n'avait pas de mouchoir. Alors la femme compatissante déchira le bout d'un des deux madras usagés avec lesquels elle s'était ceint solidement les reins et l'attacha sur le visage de Mélody.

La journée avait été rude, mais Mélody était contente, heureuse d'avoir un peu d'argent, le lendemain, car on payait au jour le jour aux docks.

Après ces trois journées, Mélody était restée plusieurs semaines sans rien avoir. Elle voyait des femmes qui ramassaient du charbon de terre écrasé et aurait bien voulu avoir une journée comme ramasseuse de charbon.

Mais le ciment lui avait laissé une sorte de grattelle qui la démangeait atrocement aux bras et aux jambes. Bégonia pensait que sa peau était trop fragile et ne pourrait pas supporter la poussière du charbon et qu'elle ne devrait pas aller dans le charbon.

Mais malgré les objections de Bégonia, un matin qu'elle était à la porte de l'embauche à quémander une petite journée, on lui avait dit :

- Il y a une femme qui manque dans le charbon, si vous voulez la remplacer, c'est tout ce qu'il y a...

Mélody avait accepté la journée. Il fallait ramasser du charbon et le faire monter par petits paniers que l'on faisait passer d'une femme à l'autre jusqu'en haut du bateau. Mélody se trouvait être la dernière là-haut. De voir la mer à ses pieds, elle fut prise de vertige. Tout dansait devant ses yeux, elle voyait les quais qui venaient à sa rencontre, les entrepôts qui tournaient. Dans un mouvement inconscient, elle perdit l'équilibre et tomba dans l'eau.

D'un geste rapide, Bégonia arracha presque sa robe et sa chemise et, en soutien-gorge et culotte, elle se jeta à la mer pour essayer de sauver Mélody qui partait à la dérive en faisant de grands gestes désespérés. Deux hommes se lancèrent aussi à l'eau et l'on put attraper Mélody par les pieds et la ramener presque inanimée sur les quais.

Ce jour-là, on arrêta le travail malgré les injonctions du patron.

- Il faut plus de sécurité pour les travailleurs, avaient dit les responsables du syndicat.

Après ce sauvetage d'une noyade qui avait paru imminente à Bégonia, puisque Mélody ne savait pas nager, il n'était plus question pour elle de monter de nouveau à bord.

Une fois, on lui proposa d'y monter pour coudre des sacs à sucre, elle avait catégoriquement refusé. Les autres besognes : chargement des caisses d'oignons, d'ails, de pommes de terre, le transport des planches, Bégonia les trouvait trop dures pour Mélody et les lui déconseillait impérativement.

Mélody allait chaque jour à la porte de l'embauche mais en vain... Elle ne trouvait pas même une journée. Elle ne repartait pas tout de suite, car elle aimait vivre le remue-ménage des quais. Très tôt, les docks étaient déjà animés et bruyants.

De nombreux cargos rentraient ou partaient, débarquant des cargaisons de matériaux de construction, de produits de consommation, en nombre de plus en plus grand, ou embarquant sucre, rhum ou bananes.

Mélody assistait toujours avec la même curiosité à l'arrivée ou au départ de ces gros navires.

Des porteurs, des débardeurs, des contremaîtres et aussi des commissionnaires et des douaniers allaient et venaient tout le long des quais. Les dockers couraient d'une tâche à l'autre selon les demandes. On entendait de sourds geignements d'efforts, des jurons et des malédictions, mêlés aux éclats de voix et de rires des femmes, aux mélodies de leur bélé (10) qu'une petite brise de mer emportait et diffusait dans tous les coins des quais.

_____

(10) Chanson de travail.

Malgré sa peur de la mer, Mélody aimait bien se promener le long des quais. Avant de rentrer, chaque jour, elle s'y attardait et faisait plus amplement connaissance avec un univers qui lui était jusque-là inconnu.

En suivant les lisières des pièces de canne à sucre à Bonne-Espérance, elle ne s'était jamais, pas un seul instant, imaginé ce monde du travail, nouveau à ses yeux.

Elle suivait donc les quais de ciment noyés de soleil, encombrés de toutes sortes de marchandises. Elle marchait à travers des rangées de containers gris, le long de vastes hangards poussiéreux où des chargements hétéroclites étaient entreposés, abrités par endroits par d'immenses bâches vertes. Elle passait avec une certaine crainte sous les grues flottantes qui lui semblaient être de gros oiseaux menaçants toujours prêts à happer une proie.

Certaines fois, Mélody poussait une pointe jusqu'au petit quai de l'autre côté de la darse, pour regarder travailler les femmes qui faisaient sortir les planches. Tout en regardant leur va-et-vient incessant, elle se demandait :

- Pourquoi donc c'est à ce travail si exténuant qu'Amie Bégonia est presque toujours employée ?

Elle pensait que c'était sûrement à cause de sa robustesse et de sa force puissante.

Les femmes se tenaient debout jusqu'à mi-cuisse dans la mer, par groupes de six ou de douze, à la queue leu leu. Quatre hommes prenaient les planches amenées par le klak (11) et les chargeaient sur la tête des porteuses.

Elles se protégeaient le crâne avec d'épais toch (12) faits de sacs de farine ou de grosses hardes usées rembourrant leur grand chapeau en paille de bacoua (13).

Elles marchaient péniblement dans la mer, veillant à bien garder l'équilibre avec leur lourd fardeau, sur des dizaines de mètres jusqu'au bord de la mer, où quatre hommes à terre les déchargeaient.

---

(11) Engin de levage et de manutention.
(12) Tortillon de tissu ou de feuilles enroulé et tordu.
(13) Abaca.

Et elles recommençaient ces pénibles allées et venues toute la journée, sous le soleil ou sous la pluie.

Quelquefois, elles faisaient sortir, à bras, d'énormes madriers sur des sortes de grandes civières à claire-voie.

Mélody ne cessait d'admirer Amie Bégonia et toutes ses compagnes si fortes et si courageuses.

Un matin, Mélody s'était attardée à regarder le départ d'un gros bananier rouge dont la peinture goudronnée sur la coque était toute craquelée à certains endroits, laissant apparaître des liserés de rouille.

De loin, elle avait vu larguer les amarres et elle admirait le cargo qui avançait majestueusement, avec précaution.

Mélody ne pouvait pas lire son nom, mais elle voyait son drapeau bleu, blanc, rouge qui flottait au vent et sa grande cheminée décorée d'un grand soleil rieur.

D'énormes malfini (14) planaient au-dessus de la mer plate et des bassins, quelques-uns suivant le bananier.

Dans la passe, le bateau-pilote ouvrait la trace devant le bananier, avançant lentement vers le large. Et lorsque le cargo sortit de la passe et arriva en haute mer, il fit hurler sa sirène comme un grand cri de soulagement pour saluer la rade.

Un autre bananier pointait déjà son profil de mastodonte dans le bassin ; son chargement était prévu pour l'après-midi.

Subitement, Mélody vit des dockers s'agiter. Ils s'affairaient sur les quais, parlaient, discutaient :

- Il est méprisant, on ne peut pas accepter ses insultes, disait Edgardo avec de grands gestes, allant des uns aux autres.

- Oh Edgardo ! Rendez-vous donc à midi et demi, et les femmes aussi... Dis à Bégonia de les avertir, lui héla Salvare, un grand homme noir comme du jais, calme et réfléchi.

Mélody le connaissait, l'ayant vu venir quelquefois chez

(14) Mansefenil, aigle marin des Antilles.

Amie Bégonia pour les affaires de syndicat. On disait qu'il était sérieux et défendait auprès des patrons les intérêts des dockers avec un bon sens, une détermination et une fermeté incomparables, que c'était un homme remarquable et bien trempé.

Mélody s'approcha de lui et lui demanda :

- Que se passe-t-il M. Salvare ?

- Ah ! c'est la p'tite de Bégonia... Nous allons entreprendre un p'tit mouvement de grève d'avertissement ; même si tu es occasionnelle, il faut venir avec nous, il ne faut pas avoir peur, non !...

- Alors, vous faites la grève, vous aussi, comme ceux des champs de canne, fit timidement Mélody.

- Et comment !... Tu es jeune petite, mais écoute bien ce que je te dis : la grève c'est la seule défense qu'ont les travailleurs pour ne pas mourir de faim, et aussi pour se faire respecter... Autrement, ils nous traiteraient comme des esclaves.

Mélody aurait aimé lui poser encore quelques questions, mais il l'avait déjà quittée et était parti à la rencontre d'un petit groupe de dockers qui rentraient par la grande porte grillagée. Elle l'entendait leur expliquer :

- Ah oui ! pour des raisons de santé, nous refusons de commencer le chargement des bananiers l'après-midi. Après toute la chaleur de la journée, nous refusons de descendre au fond des cales froides. Près de douze camarades sont hospitalisés déjà à cause de ce chaud et froid, et le directeur se montre insolent et nous insulte, on ne peut accepter cela, on débraye cet après-midi pour un avertissement...

- Alors, tu as discuté avec lui, Salvare ? et que t'a-t-il dit ? interrogea l'un des dockers.

- « Si de nombreux dockers sont à l'hôpital avec des bronchites, c'est à cause du rhum et non parce qu'ils prennent froid au fond des cales », voilà ce que ce scélérat a osé me répondre.

- L'enfant de garce ! jura le plus âgé, indigné.

- Colonialiste ! va... Ah non ! on ne peut accepter ça,

fit Ti Manno, un jeune docker qui ressemblait à un jeune taureau, trapu et costaud, et qui faisait tout le temps les yeux doux à Mélody.

L'après-midi, tout le monde était là, mais bras croisés. Après avoir écouté les explications de Salvare, plusieurs autres dockers prirent la parole, parmi lesquels Edgardo que l'on disait être un des créateurs du syndicat ; tous disaient leur indignation suite aux propos du directeur et leur solidarité avec leurs camarades hospitalisés.

Les marins du bananier s'étaient rassemblés, certains sur le pont, d'autres le long de l'échelle de coupée. Ils écoutaient avec attention, quelques-uns applaudissant même à certains passages des discours.

Il y avait un seul élan, un même enthousiasme, une foi commune.

Mélody n'avait jamais senti une telle unanimité, une telle fraternité, elle pensait :

- Il y a quelque chose d'invisible et d'intangible qui unit tous ces gens ; je ne sais quoi, mais c'est sûrement quelque chose de grand et d'important pour eux.

Les jours se suivaient sans grand changement pour Mélody.

Elle aurait aimé trouver un emploi, avoir un travail qui serait bien à elle, qui lui permettrait de gagner sa vie, de manger son pain à la sueur de son front.

Dès que j'aurai un travail, j'entreprendrai tant de choses, se disait-elle.

Elle nourrissait au fond du cœur plein de rêves. Elle désirait ardemment s'instruire. Le père Sonson ne disait-il pas : « L'instruction, c'est l'une des armes que possèdent les malheureux pour combattre la poisse et l'oppression ». Et il ajoutait : « Sachant cela, les maîtres-esclavagistes punissaient très sévèrement ceux de leurs esclaves qui se hasardaient à apprendre à lire et à vouloir s'instruire. »

Mélody, pour l'instant, voulait travailler. Elle ne pouvait plus supporter de vivre ainsi de la charité des autres. Ses amies, pleines de bonté, lui donnaient avec plaisir, elle le savait, une bouchée de pain. Mais ce pain, de jour en jour, elle avait du mal à l'avaler. Alors, elle se repliait sur elle-même, tourmentée par une effroyable sensation d'abandon et répétait sans cesse :

- Je suis sans famille, sans foyer, sans travail. Que suis-je ? une véritable mouise...

Mélody se sentait bousculée par le destin, toute prête à perdre l'équilibre et à basculer dans le néant du désespoir.

Bégonia et tous ses amis se rendaient compte de sa morosité, comprenaient la cause de son tracas et essayaient de l'encourager et de la soutenir de leur affection. Tout le monde lui cherchait du travail, et tous pensaient qu'il fallait l'aider à chasser ses idées noires, qu'il fallait la distraire. On l'invitait partout, partout on sollicitait sa jolie voix :

- Mélody va nous chanter quelque chose, Mélody chante-nous une de tes jolies chansons !

Elle accompagnait ses amis sans joie ni entrain dans leurs sorties, dans les bals des sociétés, banquets, fêtes de famille : baptême, première communion, fêtes patronales des communes. Ils travaillaient dur mais s'amusaient bien aussi. Il y avait toujours une occasion de se rencontrer et de s'amuser.

Un dimanche, elle avait accompagné Amie Bégonia et Mirette chez Cilote qui avait invité quelques amis à manger un kalalou (15).

Madère et vermouth gommés, punchs aux fruits et aux petits citrons verts ne manquaient pas, et la musique battait son plein. Pendant que certains dansaient, d'autres bavardaient. On parlait de tout et de rien. Un petit groupe près du corridor parlait de la guerre d'Algérie. Il y avait Bertobin, le neveu de Cilote. Il était ouvrier à Bardroussié et militait activement. On le rencontrait partout, avec sous

_____

(15) Sorte de purée d'herbages contenant des crabes et du petit salé ou du jambon.

le bras, toujours des tas de journaux à vendre, distribuant des tracts, invitant aux réunions.

De loin, il regardait de temps en temps Mélody en souriant et Mélody, elle aussi, le regardait. Un moment leur regard se rencontra. Pour Mélody c'était comme si brusquement, il lui était très proche, qu'ils avaient tous deux la même pensée et que leur cœur battait d'un même rythme. Elle pensa alors à son père Congo.

- C'est fou comme ce garçon ressemble à mon père, se disait-elle, en prêtant une oreille plus attentive à la conversation qui se tenait là.

- Tu as entendu encore ce matin, un nouvel avis de décès en Algérie ? disait Bertobin à une grande femme qu'on appelait Soso et qui, avec de petits gestes gracieux, s'éventait avec un joli éventail en plumes bleues comme Mélody n'en avait jamais vu.

- Ah oui... ! Mon Dieu, bientôt un nouveau cercueil qui ramènera un autre de nos fils... Il est vraiment grand temps que ça finisse, plus de cinq ans que ça dure, répondit Soso.

Mélody s'intéressait de plus en plus à la conversation, elle avait oublié ses propres soucis, et se disait en elle-même :

- Que de malheurs ! Mais au fait, que font les Guadeloupéens en Algérie ?

- On ne peut plus compter les cercueils qui nous arrivent, reprit Bertobin.

- Et tous ceux qui nous reviennent détraqués, reprit Soso. Tu n'as pas vu le regard de Siméon de Man Polo. Il semble qu'il crie toutes les nuits : « Je tue, je tue, je tue les fellagahs, où sont-ils donc cachés les bougnoules ? ». Si ce n'est pas malheureux... Le seul fils qu'elle a, la pauvre Man Polo, le seul qu'elle a pour lui fermer les yeux...

- On a dû lui faire accomplir une sale besogne là-bas, il en est marqué, ajouta le mari de Soso.

- Ils ne font pas mieux qu'Hitler là-bas. J'ai lu un petit

livre : *La question* d'un journaliste d'Alger, il faut lire ça... c'est abominable ce qu'ils font, fit Ti Mamno le petit docker qui ressemblait à un jeune taureau.

- Dans vingt-cinq ou trente ans, on retrouvera tous ces criminels à la commande des affaires de la France, et ce sont eux qui diront qu'il faut nous mettre au pas, ici, en Guadeloupe, avait ajouté le mari de Soso.

Mélody écoutait, le visage marquant vraiment l'étonnement, elle était subjuguée par ce qui se disait.

Bertobin avait remarqué l'intérêt que Mélody, bien que silencieuse, portait à la discussion. Il prit un journal dans un rouleau qu'il avait posé dans un coin, se leva et vint le porter à Mélody en lui disant :

- Tiens, achète-moi un journal, tu y trouveras des explications à tout ce qu'on vient de dire. Ça t'intéresse, hein !

- Un journal ? mais je n'ai pas d'argent, je ne travaille pas, fit Mélody soufflée.

- Ah ! Et bien prends-le, je te le donne, mais il faut le lire, tu apprendras beaucoup de choses... Tu verras comme c'est intéressant.

Mélody avait déjà vu ce journal chez Amie Bégonia. Souvent, c'était Salvare, celui qu'on appelait le chef du syndicat des dockers, qui le portait ou alors Ti Mamno. Mais Mélody n'avait jamais poussé la curiosité jusqu'à le lire.

Le lendemain, elle avait lu d'un bout à l'autre celui que Bertobin lui avait offert si gentiment, et depuis, chaque samedi, elle le lisait, avant même Amie Bégonia, se promettant de l'acheter régulièrement lorsqu'elle travaillerait.

Au fur et à mesure qu'elle lisait le journal, c'était comme un déclic qui se faisait lentement et progressivement en elle.

Certes, elle n'avait pas oublié ses soucis, mais elle sentait naître en elle une force morale qui conférait un autre sens à sa vie et lui insufflait un courage qu'elle ne se connaissait pas.

C'était comme si elle sortait d'un trou obscur pour rentrer dans une pièce inondée d'un grand soleil étincelant. C'était comme s'il y avait tout autour d'elle des objets, pourtant familiers, mais qu'elle n'avait jamais ni regardés, ni vus, et qui subitement reflétaient jusqu'à son âme, et l'émouvaient de leur évidente réalité.

Alors elle comprenait peu à peu, de la vie, les choses et les événements, et analysait bien mieux tous les propos du père Sonson... et elle disait après chaque lecture du journal :

- Mais tout ce que père Sonson disait, se trouve dans ce journal, c'est terrible ça...

La vie de Mélody abordait un autre tournant... Elle commençait à voir autrement les choses. Elle découvrait ce qu'étaient exactement un travailleur, un ouvrier, un docker, un ouvrier agricole, un prolétaire comme disait Bertobin.

Elle était heureuse et fière de découvrir des choses qui la concernaient au premier point... Cependant, Mélody ne trouvait pas de travail en ville. Elle ne trouvait rien, pas même aux docks. D'ailleurs, Amie Bégonia, d'accord avec Cilote, disait qu'elle n'était pas faite pour ce travail, qu'elle était trop délicate. Elle se demandait ce qu'elle allait faire. Elle se demandait s'il ne serait pas plus raisonnable de retourner à Bonne-Espérance, la récolte de la canne à sucre ne tarderait plus, elle pourrait y travailler. Cette idée la laissait perplexe, d'autant plus que ses amies n'admettaient pas du tout son retour à Bonne-Espérance.

Quand, un bon matin, Cilote était arrivée en coup de vent :

- Bégonia, Bégonia, j'ai trouvé une place pour Mélody, je suis venue la chercher... Allons vite, prends tes affaires la Mélo, on t'attend ce matin même.

C'est ainsi qu'au début de décembre, Mélody quitta Amie Bégonia, Mirette et tous ses amis des faubourgs.

C'était le lendemain de la fête des dockers, à la St-Nicolas, patron des dockers. Elle avait défilé avec eux dans les rues après la grand-messe et puis il y avait eu la réception à la salle des « Roses fanées » suivie d'un grand bal avec l'orchestre Espéranza... Beaucoup de jeunes comme Ti Mamno auraient préféré l'orchestre Elcalderon mais il était déjà pris ce jour-là. Toutefois, la musique était très bonne et Mélody avait beaucoup dansé. Elle avait surtout dansé avec Bertobin qui n'avait pas arrêté de lui faire des compliments et de lui raconter des histoires pour la faire rire.

- J'aime t'entendre rire et j'aime voir tes yeux lorsque tu ris... lui avait-il dit plus d'une fois.

Mélody, maintenant, réfléchissait et essayait de comprendre, elle avait soif de connaissance et se posait un tas de questions.

Un jour que Bertobin était venu l'attendre près de la boulangerie pour l'inviter à une réunion de protestation contre l'ordonnance de 1960, elle lui avait dit :

- Il faut que je sache ce que c'est, il faut me dire avant ce que c'est que cette ordonnance, je veux savoir.

Et lorsque Bertobin lui avait expliqué ce que c'était, elle avait encore demandé :

- Mais pourquoi expulser ces neuf professeurs et les exiler en France ? Et elle avait ajouté : Mais pourquoi partent-il ?... Il ne faut pas qu'ils partent... Moi, je ne partirais pas...

Elle se posait encore d'autres questions :

- Pourquoi, alors que les sucriers (16) charrient en France, dit-on, des milliards de bénéfices chaque année, leur Asso-Canne refuse-t-elle les cinq mille francs aux planteurs pour la tonne de canne à sucre ? Pourquoi, pendant que tout cet argent file dans les coffres-forts des gros, là-bas, les enfants des malheureux, ici, souffrent de privations de toutes sortes ? Pourquoi n'y a-t-il personne pour empêcher toutes ces injustices ? demandait sans cesse Mélody.

Et Bertobin l'avait surnommée : Manzé (17). Pourquoi ?

---

(16) Usiniers fabricants de sucre.
(17) Mamzelle.

Elle avait suivi tout un cheminement au cours de ces trois premières années de la nouvelle République qu'elle venait de passer à la Pointe, après la disparition de sa petite Aimely. Elle avait suivi tous les événements, elle ne comprenait pas encore très bien tout ce qui se passait, mais un jour elle avait dit à Célia qui l'interrogeait sur la tournure de la vie :

- Tout ce que je peux te dire, ma chère Célia, c'est que tous les événements prévus par le père Sonson se profilent à l'horizon.

La canne et le sucre diminuaient, et on parlait de plus en plus de fermetures d'usines, d'ouvertures de grands hôtels et de grandes surfaces commerciales, d'exil ou de départ de jeunes en France. Certains demandaient une départementalisation adaptée, alors que beaucoup d'autres réclamaient l'autonomie. Et puis, d'aucuns avaient osé dire NON au grand président au début de cette année.

Mélody avait entendu, non sans une certaine inquiétude, son patron dire à Monsieur le Pitre :

- Vivement que le grand président mette de l'ordre dans le pays, en renvoyant tous ces gens en Guinée !

Elle s'était alors dit, sans rire :

- Mais que se passera-t-il pour Amie Bégonia, Cilote, Bertobin, l'élégante Soso et son mari, M. Salvare, Ti Mamno et tous leurs amis, en ce début de l'an III de la nouvelle République, avec le grand président ?

IV

Le grand marché couvert, pittoresque et coloré, répandait son brouhaha, ses rires, ses cris, ses rumeurs incessantes et étourdissantes. Cela ne s'atténuait qu'à l'approche du jet d'eau de la magnifique fontaine ancienne, qui comme une oasis, répandait une fraîcheur bienfaisante.

Les marchandes gaies et joyeuses, pleines d'humour et d'entrain, malgré la mévente, rivalisaient de formules incantatoires et de calembours bien salés pour attirer les clientes et offrir leurs marchandises.

C'était à qui mieux mieux et sur tous les tons : des courts refrains, des cris gutturaux, des beuglantes surprenantes, des intonations canailles, des avis improvisés et amusants.

A cette cacophonie burlesque s'ajoutaient en arrière-plan les sons trépidants d'un gwo-ka (1) endiablé sur le rythme duquel quelque cuisinière imposante ou des marchandes à chalé (2) risquaient quelques pas de toumblack (3). Et les rires fusaient.

_____

(1) Tambour d'origine africaine
(2) Chaleureuses, ardentes.
(3) Ancienne danse.

Toute une foule bariolée de robes, en tissu madras ou en cretonne fleurie, plus éclatantes de couleur les unes que les autres, allait et venait dans les travées. Les ménagères montaient et descendaient incessamment, leurs grands paniers à provisions au bras. Elles discutaient, marchandaient à tue-tête pour se faire entendre.

- C'est le dernier prix ? Il n'y a pas un p'tit rabais ?

Certaines s'attardaient à faire la causette avec une amie rencontrée, demandaient des nouvelles, s'exclamaient et récriminaient sur la chèreté de la vie ou rouspétaient sur la minceur du bouquet à soupe ou du paquet de cives.

- Bientôt, on ne pourra plus manger...

Mélody, elle, faisait le tour des étals débordant de fruits et légumes, véritable patchwork de tons verts, jaunes, rouges...

Elle s'arrêtait par-ci pour palper une papaye à demi-jaune et un gros corrossol à l'écorce comme sculptée d'écailles vertes, et par-là pour humer l'odeur anisée d'une pomme-cannelle crémeuse ou des pommes cythères couleur d'ambre.

Elle ne savait que choisir parmi toutes ces variétés de grosses mangues bigarrées qui s'amoncelaient dodues et juteuses comme des seins de femme : mangues Mamelle, mangues Basse-Terre, mangues Divine, mangotines, mangues Julie...

A côté, elle examinait avec précaution des sapotilles bien mûres à la peau veloutée et brune qui dans un trey (4) voisinaient avec de petites cerises rouges très parfumées.

- Purgez pas, purgez pas ! criait la marchande de peur qu'on ne les lui abîme.

Les petites cerises délicates et fragiles saignaient déjà des gouttelettes d'un jus rouge et sirupeux sur des grappillons de quénettes (5) couchés au fond du plateau.

---

(4) Plateau de bois.
(5) Petits fruits ronds à chair crémeuse.

Une bonne et capiteuse odeur de verger s'exhalait dans l'air et faisait tourner en rondes folles de nombreuses guêpes et mouches à miel butineuses.

Mélody continuait à faire le tour du marché, sa corbeille en vannerie garnie d'un bel ananas empanaché, de goyaves au parfum excitant et de mangues-pommes.

Elle s'arrêtait sur la table d'aromates où étaient exposés de petits sacs d'épices alignés en rangs serrés, les bords enroulés pour laisser voir les produits. Clous de girofle, noix de muscade, gingembre, coriandre, cumin que les marchandes d'épices servaient dans de petits cornets de papier. L'odeur de la poudre à colombo dominait toutes les autres et mettait l'eau à la bouche.

Mélody se disait, gourmande :

- Ah ! j'aurai dégusté un bon colombo de cabrit tout doré avec un p'tit riz bien en grains !

Elle se tapait alors la langue contre le palais avec un petit bruit bref et sec : tac !

En même temps, l'odeur des fruits et des légumes mélangée à celle du vésou flottant dans l'air versait dans sa tête une sorte d'ivresse chaude et troublante lui rappelant les effluves des journées de récolte de la canne à sucre de son enfance à Bonne-Espérance.

Mélody aimait beaucoup la place couverte de ce grand marché toujours grouillant de monde. Une foule de femmes surtout. Elle constatait chaque fois que le marché n'attirait pas la gente masculine, qu'il n'y avait guère d'hommes.

Elle était satisfaite que sa nouvelle patronne l'ait choisie parmi les autres servantes pour faire le marché.

- Tu viens de la campagne, tu sauras mieux que les autres choisir fruits et légumes, avait-elle dit.

Mélody flânait de ci, de là, admirait les paniers à anse, les paniers caraïbes, les jolies corbeilles en liane ou en fibres de bambou, fouillant dans les tas de chapeaux de paille tressée : bakoua, cayenne entassés les uns dans les autres.

Elle s'amusait à essayer les chapeaux à forme pointue et

larges bords des balayeuses de rues ou encore les curieux salakos (6) recouverts de madras aux tons vifs.

Mélody adorait essayer aussi les magnifiques éventails en feuilles de latanier, s'éventant, poseuse et coquette avec de petits gestes affectés.

Un peu plus loin, en admirant les fleurs aux mille couleurs et au parfum subtil, elle se voulait fleuriste...

Ainsi, elle explorait, toujours avec la même curiosité, tous les coins du marché, même les plus retirés, afin de capter et de mieux saisir tous les aspects de cette tranche de vie débordante de charme et de surprises.

Finalement, pour sortir, elle longea des montagnes d'ignames ventrues (7), de malangas (7) et de madères (7) poilus, des patates douces violines, jaunes ou blanches et de petites couscouches (7) fondantes.

A la base de l'étal, on voyait des monceaux de régimes de bananes vertes : bananes poto (8), bananes corne (8) tinin (9) et de gros fruits à pain farineux étendus nonchalamment.

Elle jeta un regard rapide et se dirigea vers la sortie, traversant la partie à ciel ouvert où tout alentour du grand bassin circulaire de la fontaine aux eaux vives, des paysannes étalaient les produits de leurs petits jardins caraïbes. Sur des sacs en jute à même le sol étaient exposés des petits lots de piments verts, jaunes et rouges, des paquets de cives accompagnés de branches de thym odorant et de persil, des bélangères (10) dans leur robe d'évêque striée de blanc, de pykangas (11), concombres et tomadoses (12).

Mélody dévisageait chaque marchande pour essayer de reconnaître quelques connaissances de Bonne-Espérance.

---

(6) Chapeau fait d'une carcasse de bambou, recouverte de tissu.
(7) Racines vivrières.
(8) Variété de banane.
(9) Variété de banane.
(10) Aubergines violettes.
(11) Variété de cucurbitacée.
(12) Variété de petites tomates.

Tout en poursuivant ses recherches, elle sortit par la grande porte donnant sur l'artère principale de la ville, la rue Zabime.

En dehors de l'enceinte du marché, le long de la grille à hauts barreaux de fer ouvragés et pointus, on avait aménagé, à même le sol cimenté, des sortes de niches ressemblant à des petits bassins plats. Tout un arsenal de produits hétéroclites y étaient étalés.

On y trouvait là du charbon de bois, de la volaille sur pied : vieilles poules, vieux coqs de combat, coqs madères et des lapins. Des petits cochons gris et noirs, qu'on arrosait dès que le soleil commençait sa montée, gigotaient à côté des grappes volumineuses de cocos à l'eau ronds comme des jarres et des paquets de tronçons de canne à sucre.

A regret, Mélody donna un dernier coup d'œil sur les marchandes d'herbes médicinales et de feuillage pour les infusions et les bains : bains d'hygiène ou bains relaxant mais aussi bains démarrés (13).

Les marchandes disparaissaient presque derrière leur tas de feuillage, de branchages d'essences champêtres aux fragances pénétrantes et entêtées.

- Que ça sent bon l'herbe fraîche, icite (14) ! Ah ! que ça sent bon Bonne-Espérance, s'extasiait-elle, comme saoule.

Mélody fit un effort de volonté inouï pour s'arracher à ce spectacle vivant et ininterrompu. Elle se résignait à partir lorsqu'elle s'entendit interpeller :

- Mélody ! Mélody ! mais c'est la Mélo !

Elle reconnut tout de suite la voix de son amie Mariéta. Ce fut comme une fête de retrouvailles avec des baisers bruyants, des éclats de rire joyeux qui fusèrent sans retenue, pour se diluer dans la rumeur générale.

- Depuis un bon moment je cherche quelqu'un de chez

---

(13) Contre le mauvais sort.
(14) Par ici, à cet endroit.

nous et dire que j'allais partir sans te voir. Quelles nouvelles là-haut ? Père Sonson ? Mabo Surprise ?

- Ils tiennent, ils tiennent. Ce qui est neuf, c'est que de plus en plus tout le monde quitte l'habitation ; Bertilie a transporté sa case à Nouvin et Childéric à Cocoyer. Modesse et Félicien vont partir en France, en Bibandom ou Bumidom, je ne sais quoi... Bonne-Espérance se vide, on dit que l'habitation est déjà vendue.

- Pas vrai, mais, et la canne ? s'écria Mélody.

- La canne, tu parles ! C'est pour dire qu'on en a planté cette année.

- Alors de quoi va-t-on vivre sans la canne ?

- Je n'en sais rien, reprit Mariéta. Tertulien m'a dit que légwo (15) préfèrent ouvrir des commerces et des hôtels pour touristes avec leur argent, ajouta-t-elle.

- C'est incroyable ! C'est impossible ! répétait Mélody attérée.

- Laissons ceci et prenons cela, ma chère, reprit Mariéta. Tu sais, ce Monsieur Tertulien s'est enfin décidé à finir avec ça...

- Ah ! c'est une bonne nouvelle, celle-là. Je suis contente pour toi, il était grand temps, répondit Mélody un peu plus joyeuse.

- Ah oui ! Figure-toi que cela fait quatre ans qu'il m'a donné ma bague.

- Ouais ! ouais ! je m'en souviens.

- Tu sais, la Mélo, prépare-toi, c'est toi qui seras ma demoiselle d'honneur.

- Ah ! tu crois que je peux, fit Mélody.

- Oh oui ! c'est toi que je veux.

- Bon ! on verra, fais-moi savoir la date.

- Ce sera sans doute après la récolte, avait dit Mariéta.

Mélody s'en alla après avoir promis ferme qu'elle monterait un de ces jours à Bonne-Espérance. Depuis le jour où elle était revenue à la Pointe après sa maladie, elle n'était

---

(15) Les riches, usiniers, capitalistes.

jamais retournée là-haut. Elle pensait bien à père Sonson et à Mabo Surprise mais elle préférait, ses jours de repos, battre tout Dino et toutes les cours des faubourgs pour essayer de trouver une chambre à louer car elle avait ses petits projets. D'abord trouver une chambre, puis une autre place, car elle ne voulait plus dormir sur son lieu de travail.

Ainsi, le dimanche après-midi, lorsqu'elle ne rendait pas visite à Amie Bégonia, à Evenore et à Célia, elle partait avec Cilote le long des boulevards et dans les faubourgs.

Les promenades avec Cilote étaient de véritables excursions. Cilote était un guide émérite qui connaissait sur le bout des doigts tous les coins de la ville.

- Par ici, là où tu vois le cinéma, c'était la grande maison Banglimont avec son beau parc ombragé par de gros manguiers et par toutes sortes d'arbres fruitiers où se nichaient d'innombrables oiseaux : foufou (16), sykryé (17), pipirit (18), lui indiquait Cilote.

Mélody appréciait ces promenades avec Cilote. Pour elle, cette partie des faubourgs, la main droite de la rue Zabime, était une révélation. Elle qui ne connaissait que la Grand-rue, les quartiers chics de la ville avec leurs belles habitations aux balcons ajourés si pittoresques, et bien sûr la main gauche de la rue Zabime lorsqu'elle habitait chez Bégonia.

Mais ses recherches demeuraient infructueuses et elle était soucieuse car ses projets n'avançaient pas, elle qui voulait de plus en plus quitter son emploi qu'elle haïssait chaque jour un peu plus.

- Je ne veux plus être l'esclave de quiconque, ni la bonne à tout faire comme on dit si bien, se répétait-elle journellement.

Mélody considérait maintenant son travail comme une corvée avilissante. Après sa journée de labeur, il lui fallait

_____

(16) Oiseau-mouche, colibri.
(17) Grive antillaise.
(18) Passereau.

le soir rester très tard pour servir le souper au patron qui rentrait pompette des caboulots de jeux. C'était toujours vers minuit, une heure du matin. A cette heure-là, toute la maison était endormie et plusieurs fois il avait déjà essayé de la prendre par la taille pour l'embrasser. La première fois, elle avait tout simplement menacé de crier s'il ne la lâchait pas. La deuxième fois, elle menaça d'avertir Madame, mais la dernière fois, elle lui avait asséné un vigoureux coup de louche sur la tête. Il l'avait donc laissée tranquille, mais lui avait lancé avec des yeux furieux :

- Personne, tu m'entends, personne ne m'a jamais résisté ; tu y passeras comme toutes les autres, espèce de « ti négresse » que tu es.

- On verra bien, avait bravé Mélody.

Mais, depuis, elle se méfiait de lui. Elle avait peur. Elle voulait à tout prix partir. Mais comment trouver une autre place et surtout une petite chambre pas trop chère ?

Elle se sentait impuissante devant la vie et croyait que son manque d'instruction y était pour beaucoup.

- Ah ! si j'avais un peu plus de savoir, se disait Mélody.

Depuis que Cicie lui avait conseillé de reprendre ses cours du soir, elle s'était attelée à l'étude. Elle était encouragée et aidée par Bruno, le fils cadet de la maison.

Ce garçon de dix-sept ans était le mal-aimé de sa famille. Que de fois, depuis ces trois années pendant lesquelles Mélody était au service de cette famille, elle s'était vue prendre parti secrètement pour ce garçon. Il avait à peine quinze ans, lorsqu'un jour, on l'avait privé de déjeuner et enfermé dans un cagibi au bas de l'escalier. C'était un dimanche gras, le carnaval battait son plein, c'était la liesse et un déferlement de joie et de musique sortait du ventre des faubourgs : masques à congo, masques à cornes, à rubans, mokozombi (19) et masques à lanmô (20), gyablès (21) rouges avec de petits miroirs sur la

_____

(19) Personne masquée montée sur des échasses.
(20) La mort.
(21) Diablesse.

tête... Mélody se rappelait très bien ce jour-là car c'était le groupe de Bégonia et de tous ses amis les dockers qui passait. Bruno les avait suivis par toute la ville et était rentré très tard à la nuit tombée. Pour le punir, on l'avait donc enfermé dans le cagibi et sans dîner. Mélody, très touchée par tant de dureté, lui avait glissé un morceau de pain bourré de poulet et une petite gazeuse (22). Depuis ce jour-là, Bruno l'avait prise en grande amitié.

Bruno avait tout pris de sa grand-mère maternelle, pas seulement la peau brune et le nez épaté mais aussi le goût du gwo-ka et de la bamboula (23) qui aux fêtes populaires, fête Schœlcher, 14 Juillet, l'attiraient étrangement. Il ne fréquentait que les humbles, les fils d'ouvriers de Bardroussié et des dockers des quais étaient ses meilleurs copains, des voyous, disait son père.

Le père de Bruno se disait un grand mulâtre. Un vrai de vrai.

- Mes arrière-grands-parents, mes grands-parents étaient de bons mulâtres, pur sang... On ne connaît pas de nègre dans mes ancêtres, si vraiment il y en eut, il faudrait remonter à très loin, proclamait-il chaque fois qu'il voulait humilier sa femme.

Madame était la fille d'un riche blanc créole et de sa cuisinière, une négresse bon teint. Madame était cependant très blanche de peau et se faisait passer pour blanche.

Elle ne s'en laissait pas conter par son goujat de mari. Et à chaque humiliation, elle répliquait vertement :

- Ma mère était une négresse, oui ! Mais heureusement qu'elle m'a donné un père blanc et riche car c'est grâce à l'argent qu'ils m'ont laissé que tu peux aller jouer tous les soirs aux grenndé (24) dans les caboulots du Bas d'la Source.

Cette famille fut pour Mélody la meilleure école qui lui apprit la vie.

---

(22) Soda.
(23) Ancienne danse des esclaves.
(24) Jeu de dés.

Il y avait dans cette famille ce jeune Bruno à la peau brune, surnommé par ses propres parents, certains amis et l'entourage, « Bruno, pruneau ». Et aussi la toute dernière, une adorable petite fille qui ressemblait, elle, à une petite coolie, plus brune de peau, noiraude même, avec des cheveux fins et raides comme des baguettes. Ces deux enfants étaient les souffre-douleur de la famille.

Mais Bruno avait un atout de taille pour se faire apprécier de tous. Très tôt, il avait compris qu'il lui fallait être exceptionnel et il ne voyait pour cela qu'une seule planche de salut : l'instruction, les études.

Dès les petites classes, il avait toutes les premières places. Il sut lire, compter et écrire avant son aîné et l'avait devancé tant et si bien qu'il avait trois années d'avance sur lui. Et lorsque son père faisait des reproches à son frère pour son travail scolaire, Bruno ironisait :

- Mais papa, il n'a pas besoin de l'instruction pour réussir sa vie. Il est presque blanc, c'est un privilège.

Bruno avait pris Mélody en passion et lui faisait apprendre et répéter ses tables de multiplication, ses conjugaisons et lui expliquait règles de trois et de grammaire.

Au grand désespoir de sa famille, il avouait pourquoi il était si attaché à Mélody en disant :

- Bonne-maman devait être aussi belle que Mélody.

Et pour les faire tous enrager, il ajoutait quelquefois :

- Si j'avais cinq ou six ans de plus, je l'aurais épousée et je serais retourné à Bonne-Espérance avec elle. Je retournerai à mes sources véritables, aimait-il dire.

Bruno prenait toujours le contre-pied des actes, des idées et des opinions de ses parents et surtout de son père. C'est ainsi qu'il avait décidé d'être ingénieur agronome pour s'occuper de l'agriculture et surtout de la culture de la canne à sucre, au lieu d'être administrateur des Colonies comme le souhaitait tant son père, un vieux rêve qu'il n'avait pu réaliser lui-même.

Au début de l'arrivée de Mélody dans cette maison, le jeune Bruno parlait sans arrêt de la révolution cubaine.

- Une étoile a brillé à l'horizon de la Caraïbe, avait-il déclaré, très lyrique, à table, un jour où il y avait des invités de marque : directeurs d'usine, hauts fonctionnaires de la préfecture, banquiers de la Place...

Et lorsque son père lui demanda de s'expliquer, il répondit d'un air provoquant :

- La révolution a triomphé à Cuba. Elle donnera le jour au premier État socialiste de la Caraïbe... Comment, vous ne le savez pas ? La révolution cubaine est notre patrimoine à tous dans la Caraïbe, et l'Amérique latine...

Un silence glacial s'était alors installé. Aussi silencieuse que le dos des chaises derrière lesquelles elle servait, Mélody emmagasinait tout ce qui se disait à table et pensait que Bruno avait l'art de se mettre dans des situations critiques.

Peu de temps après, il avait failli se faire mettre à la porte définitivement, en rentrant du grand vidé (25) qui avait suivi l'élection de la liste du Rassemblement démocratique aux élections municipales de la ville.

Mélody aurait bien aimé avoir un petit frère comme M. Bruno, et elle essayait de faire remonter du creux de son souvenir les images de ses deux petits frères qui périrent dans l'incendie de leur case à Bonne-Espérance. Et elle passait souvent une bonne partie de la nuit à les faire revivre à l'image de Bruno.

Elle pensait aussi très souvent à sa mère. Mais elle la revoyait toujours morte, étendue, toute raide et impuissante et elle se disait :

- Elle ne retournera plus sur cette terre de misère.

Et elle revenait bien vite à son père :

- Mais apa (26), lui, n'est pas mort, je le sais, je le sens... Je suis sûre qu'il vit, je ne le revois jamais mort. C'est comme ma petite Aimely, je ne la revois jamais

---

(25) Défilé joyeux.
(26) Papa.

morte non plus... J'ai comme l'impression que je retrouverai ces deux-là un jour.

Mélody pensait très souvent à son père et rêvait souvent de lui, bien qu'elle ne se rappelât ni de son visage, ni de son physique. Elle ne gardait aucun souvenir de lui, sauf qu'il la prenait tout le temps à dada (27) sur ses genoux. Il lui semblait certaines fois le reconnaître dans la foule, surtout lorsqu'elle voyait un homme grand et fort, un de ces beaux nègres à l'allure fière et princière.

Elle adorait donc ce père absent et inconnu et déclarait :

- Je n'aimerai qu'un homme qui ressemble à mon père.

Et dans ses rêves, son père et son futur mari se confondaient. Pourquoi s'entendait-elle si bien avec Monsieur Bruno ? Et pourquoi son cœur battait-il si fort lorsqu'il lui disait :

- C'est vrai, Mélody, que je me serais très bien marié avec toi...

C'est qu'elle pensait que Bruno serait plus tard le type d'homme qu'elle classait dans le critère de son père Congo... Bruno sera un bel homme grand, altier comme devait être Congo.

- Mais ma chance, c'est la peau noire. Avec Murat je m'étais gourée, cela n'aurait jamais marché, c'est pas mon type... pensait souvent Mélody dans sa solitude.

Alors, elle remplissait cette solitude des souvenirs de son père qu'elle s'évertuait à faire renaître lorsqu'elle ne les fabriquait pas de toutes pièces. Elle essayait de retrouver dans la brume du temps passé les traits de son visage, les tonalités de sa voix forte et impressionnante, les sensations de ses gros doigts et surtout l'agréable sensation qui l'envahissait lorsqu'il l'asseyait sur ses cuisses pour jouer à dada (28) ou pour la faire danser sié bwa, sié bwa (29)... Chaque fois qu'elle chantait cette comptine, toujours cette

---

(27) Califourchon.
(28) A califourchon.
(29) Scions du bois, scions du bois...

sensation lui revenait, chaleureuse, excitante, prenante, la serrant à la gorge.

Elle aimait la chanter pour retrouver cette sorte de jouissance, et la chantait souvent.

Mélody se demandait si elle n'était pas amoureuse de ce père disparu, ce père qu'elle aurait dû, sinon haïr, du moins auquel elle aurait dû en vouloir terriblement, pour son abandon et sa trahison. Elle se disait que c'était sans doute un péché de penser ainsi à son père. Péché mignon ou mortel ? En tout cas, pour Mélody, c'était si doux de penser à Congo, si réconfortant de converser avec lui dans le gros-noir de ses nuits d'insomnie, après qu'il l'eut délivrée de son cauchemar habituel. Car c'était son père Congo qui venait chaque fois la délivrer de cette araignée immonde qui dans un rêve obsédant, la fixait avec deux énormes yeux extrêmement mobiles, verts et ronds comme deux grosses calebasses, et qui l'entortillait dans un enchevêtrement de fils inextricables, pour l'étouffer.

Certaines fois, c'était M. Bruno, devenu un homme dans le rêve, qui, à la place de son père, venait la délivrer de son araignée cauchemardesque. Cette scène la faisait sourire au réveil. Mais elle avait constaté que cela se passait toujours après une des séances d'études où Bruno, assis tout à côté d'elle sur le vieux sofa de la remise, lui expliquait la règle de trois ou les règles de grammaire, ou lui parlait de Emile Zola, Honoré de Balzac, d'un certain Dostoïevski et d'un certain Tolstoï et du poète Neruda, ou bien cela se passait après une de ces longues conversations au cours desquelles il lui faisait connaître ce monde des Caraïbes, si proches et en même temps si lointaines, et aussi l'Amérique latine troublante et picaresque. C'était au temps où il découvrait *Les chemins de la faim* et son auteur Jorge Amado, livre que le parrain de Bruno lui avait envoyé de Paris.

Et alors Mélody pensait que Bruno la délivrait des toiles d'araignée de l'ignorance en ouvrant son esprit à la lecture, en l'aidant à s'instruire et à se cultiver.

- Ce que mon père Congo aurait fait, se disait-elle avec conviction.

Ainsi elle plaçait sans réserve Bruno dans son univers familier, et elle se demandait sincèrement :

- Comment l'adopter ? Comme mon père, sûrement pas ; comme un amoureux, c'est de la folie ; comme un petit frère, ce serait merveilleux !

V

Après les grandioses cérémonies de distribution des prix qui marquent la fin de l'année scolaire, c'est la période des grandes vacances.

- Quelle manie de tout copier sur la France et de fixer les grandes vacances juste en cette période de pluies diluviennes, disaient certains vacanciers déçus du temps qui annonçait la saison d'hivernage.

Les vacances, bien que souvent mouillées et inquiétantes à cause des risques de cyclones, se préparaient à l'avance avec euphorie.

Très tôt dans l'année, vers avril, mai, on avait cherché et loué la maisonnette ou tout simplement deux petites chambres sans grand confort dans les régions de Dolé, Gourbeyre, Saint-Claude ou vers les plages de la Grande-Terre, à Moule et à Sainte-Anne.

Un sommier, des matelas, une table, quelques chaises, des pliants en tissu bayadère, un peu de vaisselle, un ou deux réchauds à charbon ou à pétrole, tout un tas d'objets de ménage hétéroclites entassés dans un camion, et on partait en changement d'air pour un mois ou deux. Les fonctionnaires qui pouvaient se payer ce luxe partaient très tôt dès la mi-juillet...

Dans les faubourgs, c'était un autre genre de branle-bas. On partait très peu en vacances, mais on envoyait les enfants passer quelques jours chez une tante, une cousine ou une bonne amie qui habitait la campagne ou dans une contrée près de la mer.

Dans le même temps, toutes les grandes maisons de la Grand-rue et des quais se fermaient les unes après les autres. Les magnifiques villas, véritables petits châteaux appartenant presque tous à des Blancs créoles, ouvraient leurs portes sur les hauteurs de la Lézarde, à Vernou et dans les régions fraîches.

Les patrons de Mélody étaient partis dans leur villa à Dolé-les-Bains, l'une des dernières qui leur restaient de toutes ces grandes maisons qu'avaient laissées le père de madame et que monsieur avait vite fait de vendre pour payer ses dettes de jeux.

Ils n'étaient partis qu'avec la Da (1) pour s'occuper des plus jeunes enfants ; la femme du gardien de la propriété ferait, comme chaque année, la cuisine et le ménage.

- Ah ! ces maudits congés payés, c'est la ruine, s'était plaint monsieur en donnant quinze jours de congé à Mélody.

Mélody était donc montée à Bonne-Espérance. Depuis des années, elle n'y était pas allée. Elle était invitée à la noce de Mariéta, qui avait voulu à tout prix qu'elle soit sa première demoiselle d'honneur.

- Mais Mélody ne convient pas, avait désapprouvé Ismène, la mère de Mariéta, elle a déjà enfanté, avait-elle ajouté.

- Et qu'est-ce que ça peut faire. Tu crois qu'il me faut une toute jeune fille pure et vierge ? mais actuellement maman, qui est vierge ? qui ne l'est pas ?

- Je ne sais pas. Mais on ne peut bousculer les tradi-

---

(1) Bonne d'enfants.

tions, ma fille, c'est ainsi que nous avons trouvé la vie, c'est ainsi que nous devons la vivre.

- Il y a des choses qu'il faut prendre et d'autres qu'il faut rejeter. C'est comme le voile et les boutons d'oranger, c'est pour te faire plaisir que je les mettrai et puis je pense que c'est une parure comme une autre... Mais cette tradition d'offrir son bouquet de mariée à la Vierge en signe de pureté, je suis contre et je ne le ferai pas, maman...

- Mais que veut dire tout cela Mariéta, ma fi (2) ? Tu sais bien que les gens regardent toutes ces choses, et qu'ils vont jaser... fit Ismène désolée.

- Excuse-moi, maman, mais je me moque de ce que diront les gens... Et puis, il faut te mettre en tête que tout change, rien n'est plus pareil, avait répondu la jeune fille décidée.

Ainsi, pour le mariage de Mariéta, Mélody était revenue à Bonne-Espérance, après bientôt quatre ans d'absence.

Elle était contente de revoir tout son monde. Les larmes aux yeux, elle avait étreint Mabo Surprise et père Sonson et leur avait dit, affectueuse et câline :

- Mais vous êtes plus frais que jamais tous les deux. On voit que vous buvez votre gros sirop pour vous rajeunir.

Aussitôt arrivée, elle avait voulu faire le tour de l'habitation pour dire bonjour à tous.

En général, presque tous ceux qui étaient encore à Bonne-Espérance avaient vu leur existence devenir plus pénible. Le nouveau franc devenu lourd ne crevait pas leurs poches...

Mélody, étonnée et pensive, se disait que Bruno avait bien raison de dire : « Tandis que les riches deviennent de plus en plus riches, les pauvres deviennent de plus en plus pauvres. »

C'était le cas pour Chérizelle tout particulièrement. Mélody eu mal au cœur de la retrouver amaigrie, vieillie, plus démunie que jamais, dans un état misérable.

_____

(2) Ma fille.

Elle n'avait pas oublié que Chérizelle lui avait dit, lorsqu'elle s'était trouvée seule à la mort de sa mère :

- Ah ! la Mélo, que j'aurais aimé pouvoir te dire : viens habiter avec nous, tu sais les enfants t'aiment bien, et Chérizelle avait éclaté en sanglots.

C'est en pensant à cet élan généreux de Zézelle qu'elle lui avait apporté un gros colis de provisions et des friandises pour les enfants et pour le dernier un vieux camion et un livre d'images un peu abîmé qu'elle avait ramassés à son travail.

En donnant le livre à Jespère, elle lui avait dit :

- Il faut bien apprendre pour devenir le Chevalier de l'Espérance…

Comme l'enfant, ne comprenant pas, la regardait avec des yeux interrogateurs, elle ajouta :

- Tu sais, j'ai lu un livre qui portait ce titre : « Chevalier de l'Espérance ». Avant mon départ, un de ces soirs, je viendrai te raconter cette histoire.

Alors le petit Jespère, déjà heureux à cette idée, lança en prémices un vibrant : EEEh Crick !!! EEh Crack !!!

Mélody qui se faisait une joie de revoir tous les paysages et les lieux familiers de son enfance, de retrouver cette vie champêtre qu'elle regrettait tant et dont le souvenir l'empêchait de s'adapter à la ville, se trouva fort déçue et déconcertée.

Rien n'était plus comme avant. Plus de cris, plus de chants, plus de sons de gwo-ka. A certains endroits, des champs d'herbes de Guinée ou d'herbes coupantes avaient pris la place des champs de canne à sucre. La hat (3) n'existait plus. Plus de bœuf, plus de hat, plus de charrette. Plus de boutique. Les cases des Blancs, abandonnées, envahies d'herbes folles, tombaient en décrépitude et paraissaient d'anciens camps de prisonniers. Dans la mare qui n'était plus curée après chaque récolte, les touffes de chances aux magnifiques fleurs violettes s'étiolaient, et sur la vieille

_____
(3) Enclos, parc.

tour, un figuier maudit (4) comme un serpent étouffant s'était enroulé sauvagement et, enfonçant ses racines atroces au sein des vieilles pierres légendaires, les avaient descellées. Un large pan s'était éboulé.

- C'est un symbole, cette tour en ruines, c'est l'habitation qui s'écroule, se disait Mélody.

Et en regardant les emplacements nus de toutes ces cases enlevées, disparues, parties pour d'autres lieux, une grande angoisse l'envahit. Elle ressentit comme un immense vide et un grand désarroi dans son cœur.

Elle ne retrouvait pas Bonne-Espérance. Rien n'était comme avant...

Seuls les palmiers royaux conduisant à la case du père Sonson, quelques grands arbres majestueux, des cocotiers altiers conservaient encore leur arrogance d'antan, alors que des flamboyants jetaient sur le sol, comme des larmes de sang, leurs pétales flétris.

Mélody avait enlevé ses mikas (5) pour remettre ses pieds nus au contact de sa terre natale. Elle cherchait à retrouver avec ce contact salutaire, bienfaisant, toutes ces sensations d'un passé qu'elle jugeait maintenant révolu.

- Finies la vie et les émotions de mon enfance... Tout ce qui peut rester maintenant n'est que souvenir, avait-elle admis avec nostalgie.

Cependant, elle ne regrettait pas d'être revenue à Bonne-Espérance. Les coutumes se débattaient pour résister encore quelque temps. Les noces de Mariéta et de Tertulien en étaient une occasion, peut-être la dernière, qui sait ?

Et Mélody pour se rasséréner se disait :

- Ce n'est pas en ville qu'on verrait un tel mariage !

Tout Bonne-Espérance et même ceux qui avaient déjà laissé l'habitation y étaient conviés. C'était la joie et surtout la grande bombance, sans souci des jours sans pain à venir. Pour contenter tous les parents et amis, on avait tué

---

(4) Arbre parasite.
(5) Sandales en plastique.

un bœuf, un cochon pour le boudin, des dizaines de poules, on avait commandé des sacs de petits pains, des centaines de pâtés, d'innombrables gâteaux fouettés à cinq et sept étages. Le rhum, le mousseux, toutes espèces de punchs et de boissons avaient coulé à flots. On avait dépensé sans compter.

- Nonm géné pa ka fê koud min (6), avait dit Tertulien et c'est pour cela qu'il avait fixé le mariage juste après la récolte, au moment où il y a un peu d'argent.

Ismène, la mère de la mariée, répétait à tous ses invités :

- Depuis quatre récoltes, je me prépare pour vous recevoir, buvez, mangez, mes parents.

Une vaste tonnelle décorée de palmes de cocotier tressées et d'hibiscus rouges avait été montée sur la pelouse de gazon devant la case d'Ismène.

Et depuis le midi, on fit ripaille au grand banquet organisé avant la cérémonie de l'après-midi.

- Quel festin ! quel festin ! répétaient les invités rassasiés.

Selon les conseils de Mariéta, Mélody s'était achetée pour ces noces plusieurs toilettes à la dernière mode. Pour le cortège une longue robe en organdi rose brodé, garnie de deux rangées de falbalas. Elle s'était fait faire une jolie capeline et des escarpins dans le même tissu.

- Mélody fwapé on moman (7) avait dit sa Mabo Surprise, fière de ce que sa fille fut parmi les six dames du cortège, la plus belle, la mieux habillée.

Mélody elle-même ne cachait pas son orgueil de faire voir toutes les jolies toilettes qu'elle possédait. Ainsi elle avait porté une autre tenue afin de changer pour la soirée, et une troisième pour le retour des noces.

Florette réputée pour être la plus élégante de toutes, à Bonne-Espérance, la petite Floranie à Myonette devenue

---

(6) Bourse vide ne fait festin.
(7) Mélody a épaté, ébloui, émerveillé.

maintenant la jolie dactylo de la Mairie et toutes les autres jeunes filles de la noce regardaient Mélody avec admiration sinon avec envie et on ne s'arrêtait pas en compliments sur sa beauté, son élégance et son changement physique.

Tout le monde l'entourait et on lui adressait des mots gentils, des plaisanteries, des vœux affectueux, des sourires entendus.

Mélody, avec une légère pointe de vanité, répondait en souriant, mais soupirait doucement en pensant :

- Oui, moi, j'ai de belles toilettes, je suis peut-être jolie mais je suis seule et sans famille.

Seul Destinville restait sombre et taciturne vis-à-vis de Mélody. Tout en faisant semblant de ne pas l'admirer, il lui jetait de temps en temps des koud zieu (8) furtifs et désolés. On lui avait déjà dit que Mélody avait beaucoup changé mais il ne pouvait s'imaginer que c'était à ce point... Il ne se sentait aucun courage de lui parler, de lui dire qu'il l'aimait encore, qu'il l'avait toujours aimée et voudrait l'épouser malgré sa faute avec Murat. Il se disait à lui-même :

- Ce n'est pas une fille pour moi.

Tout de même, il se hasarda d'une voix timide à lui demander une danse pour essayer de lui parler :

- Tu sais la Mélo que depuis toute petite tu me fais « plaisir », que je voulais t'épouser et que je le désire encore. Reste ici avec moi, ne redescends pas à la Pointe.

Tout d'abord, Mélody avait ri aux éclats, puis elle avait pris un petit air de compassion pour dire :

- Tu ne réfléchis pas à ce que tu dis, pauvre Destinville !

Et lorsque Destinville voulu insister, Mélody lui répondit, péremptoire :

- Je ne retournerai plus vivre ici... Bonne-Espérance, c'est fini. La canne est en train de capoter, tout le monde

_____

(8) Coup d'œil.

fiche le camp, tu ne vois pas qu'à l'heure qu'il est, tout est en train de casser, tout est fêlé, comme dit le père Sonson.

Pendant ces quinze jours passés à Bonne-Espérance, Mélody avait justement causé avec père Sonson. Et celui-ci lui avait fait remarquer combien la vie avait changé à Bonne-Espérance.

- Compte le nombre de cases parties, observe bien, on ne sarcle plus, on met du désherbant, il n'y a plus de charrette à bœufs pour transporter la canne mais des camions, des tracteurs et des chariots. On n'utilise plus de réchaud à charbon mais à pétrole. Il n'y a plus d'amour sauf celui de l'argent. Les enfants ne disent plus bonjour aux grandes personnes, les filles portent des robes avec toutes leurs cuisses à l'air, psalmodiait père Sonson, d'un ton amer.

- Tout ce changement, c'est comme une mode, ça va passer, avait répondu Mélody.

Mais père Sonson, lui, affirmait, désabusé :

- Oh ! que non, ma fi (9), ça ne passera pas, c'est comme une glissade, tant qu'on n'est pas au bout du trajet on ne peut s'arrêter... Vois donc ce que nos politiciens ont inventé l'année dernière : la départementalisation adaptée...

- A quoi donc cela aboutira-t-il ? avait alors demandé Mélody.

- Mais à la brisure, à la négation la plus complète du passé. Ni la vie, ni les mentalités ne sauront plus être les mêmes. C'est cela être adapté...

- Pour les mentalités, ce ne sera pas facile de les transformer, de les adapter, dit Mélody.

- Ah ! c'est à vous de prendre garde, vous les femmes, car si vous ne prenez garde vous enfanterez un autre type de Guadeloupéens avec un autre genre de vie. Regarde toi-même, tu as commencé déjà à te métamorphoser, la Mélo, toi-même... fit le vieux tristement.

- Cela ne peut se faire, protesta Mélody.

---

(9) Ma fille.

- Si on m'arrache un jour un cheveu, personne ne verra rien. Mais si chaque jour que Dieu fait, on continue à m'arracher régulièrement un cheveu, un beau jour, on me retrouvera avec un fada (10) bien brillant. A ce moment-là, tout le monde verra que je n'ai plus de cheveux, mais il sera trop tard. Et les cheveux des nègres ne repoussent presque jamais, ajouta père Sonson mi-sérieux, mi-plaisantin.

- Mais pourquoi ? père Sonson, pour quel projet tout ce bouleversement ? s'inquiétait Mélody, un peu angoissée.

- C'est pour mieux faire passer les contradictions, les injustices, les inégalités. Par exemple, il y aura de plus en plus de fonctionnaires, de moins en moins d'ouvriers, puisqu'il n'y aura plus d'usines, ni d'entreprises. Et moins d'ouvriers, c'est moins de luttes véritables. Ce sera fini de la conscience de classe.

- L'avenir s'annonce donc bien triste, d'après toi, père Sonson, demanda Mélody ?

- Ah ! pitit à apa (11), pas même une bonne guerre ne pourra plus nous sauver, nous, de la race des nègres-houes, nègres-sabres, nègres-cann (12). Avec toutes leurs nouvelles armes et toutes leurs bombes, tous les hommes disparaîtront.

- Mais n'y a-t-il rien à faire ?

- Il faut se décider à se lever du sommeil dans lequel ils nous ont plongés depuis trois siècles d'avanies.

Mélody n'arrivait pas à tout comprendre dans les paraboles et les prédictions des discours du père Sonson. Cependant ces conversations lui donnaient à réfléchir.

Elle concevait certes que sa vie à la ville lui avait fait subir des transformations mais qu'elle qualifiait d'heureuses. Dans l'instruction qu'elle était si contente d'avoir trouvée en ville, elle commençait à puiser des idées flambant neuves pour la jeune fille ignorante qu'elle était...

---

(10) Calvitie.
(11) Mon enfant.
(12) Nègres travailleurs dans la canne à sucre.

Elle avait acquis le goût de la lecture, elle lisait tout ce qui lui tombait sous les yeux. Monsieur Bruno lui prêtait des livres qui l'aidaient à épuiser ses nuits d'insomnie après son cauchemar devenu familier. Le dimanche après-midi, chez Amie Bégonia ou chez Cilote, elle aimait lire ce journal qui, la première fois qu'elle l'avait lu, avait jeté une gerbe d'étincelles dans sa petite tête obscurcie par l'ignorance. Cette lecture aussi avait contribué à lui ouvrir les yeux sur les choses de la vie et maintenant elle comprenait mieux la société dans laquelle elle vivait. Elle pouvait faire des comparaisons entre les milieux de ses deux patrons et elle percevait maintenant les différences qui existaient entre les deux familles et par conséquent entre les Blancs créoles et les grands mulâtres. Elle avait vécu dans l'intimité de chacun de ces deux clans et avait vu les réactions et comportements de chacun, leurs rivalités, leur haine réciproque et leur mépris l'un pour l'autre.

Elle observait et étudiait aussi le genre de vie des gens des cours (13) et des faubourgs de la ville, et pensait que même si le genre de vie à Bonne-Espérance était différent de celui des faubourgs, il lui était proche. Et elle sentait que ceux qui habitaient dans ces faubourgs étaient ses frères et sœurs véritables, qu'ils avaient en commun une même âme indestructible et que, malgré la dureté de la vie, ils l'aimaient avec la même foi, ce même amour de la vie des pauvres.

Ainsi Mélody allait de révélation en révélation, et était arrivée à se dire :

- Les deux poteaux-mitan de la vie, ici sous ce soleil, sont la couleur de la peau et l'argent.

Elle avait découvert cela toute seule à l'école de la vie, sa petite vie toute simple de « sans famille et de bonne à tout faire », aimait-elle dire.

Sur un tel terrain défriché par la vie, les épreuves et l'injustice, les paroles du père Sonson étaient comme des

---

(13) Dédales.

germes qui aidaient Mélody à se mieux situer. Elles l'aidaient à mieux comprendre certaines idées savantes émises par Bruno au grand dam et à la colère de ses parents et de leurs amis, tous des nantis : directeurs de banque, directeurs d'usine, magnats de la finance, du haut négoce. Presque tous Blancs de France, Blancs créoles ou grands mulâtres.

Elle prenait conscience de sa condition et dans cette connaissance elle puisait la force de refuser la fatalité. Elle était décidée de partir à l'assaut de la vie telle qu'elle devrait être.

Bien dopée, Mélody était revenue de Bonne-Espérance, avec des idées bien établies et plus décidée que jamais de s'installer définitivement à la Pointe. Elle pensait beaucoup à Surprise, au père Sonson, à leurs interminables conversations.

- Lorsque j'aurai trouvé une maison, je les ferai venir de temps en temps passer quelques jours avec moi à la Pointe. Et puis je ne resterai plus si longtemps sans aller les voir, se promit-elle.

Elle pensait aux conseils du vieux qui s'était bien vite aperçu que Destinville n'avait plus aucune chance auprès d'elle. Il lui avait seulement dit :

- Ne te laisse jamais charmer par l'argent ou les belles paroles d'aucun homme, pitit a apa (14)... Mais si tu aimes quelqu'un et si tu sens qu'il t'aime - car cela se sent - ne va jamais contre la nature, vis ta vie, quelles que soient les conditions, mais avec honneur et respect.

Elle se souvenait avec un sourire amusé des conseils de Surprise au moment de son départ.

- La Mélo, si un jour tu sens qu'un homme force ta tête à tourner, passe ta main gauche sous ton aisselle droite, et sens fortement l'odeur de ta sueur dans ta main et tout rentrera dans l'ordre, ta tête retrouvera calmement sa bonne place sur tes épaules.

_____

(14) Mon enfant.

Mélody se sentait maintenant soulevée par son désir de s'instruire, de conquérir le plus de savoir possible, pour rejeter l'aliénation qu'elle ne voulait plus subir et pour sortir de ce labyrinthe de tracas et d'humiliations, où elle se sentait enfermée sans la perspective d'une trouée d'air frais.

C'est cet état d'esprit qui lui permit d'affronter le Certificat d'études des adultes avec détermination et confiance. Elle était une élève très attentive et studieuse, et personne, même sa patronne ironique, ne fut étonné lorsque Bruno entra un soir en proclamant bruyamment :

- Bravo ! bravo ! Mélody a réussi, son nom est affiché.

Il avait saisi Mélody par la taille et la faisait valser en riant, laissant échapper tous les deux une joie exubérante qui les fit rappeler à l'ordre par la mère :

- Assez, Bruno ! un peu plus de dignité, et vous, Mélody, tenez-vous à votre place... Ce n'est pas le diplôme du Certificat d'Etudes qui vous empêchera d'être ici la bonne.

Mélody avait frémi sous l'insulte et avait baissé la tête. On aurait dit que la terre allait s'ouvrir pour l'engloutir. Elle ressentit avec une sourde colère l'humiliation qui l'avait cinglée comme un coup de fouet en pleine face, et elle se dit :

- Mélody ma fi, tu as ton Certificat d'Etudes, maintenant tu sais que par la volonté, les rêves peuvent devenir réalité ; et les lèvres serrées, rageuse, elle pensa fortement en soulevant la tête et en regardant sa patronne bien dans le blanc des yeux :

- Je te ferai voir « ma vache », que je ne serai plus ta bonne, ni celle d'aucune de tes semblables.

- Le père Sonson a raison, pensa-t-elle en regagnant son coin à la buanderie. Il faut qu'on se lève enfin de ce grand sommeil qui nous engourdit afin de faire péter (15) comme un gros tonnerre cette société et la faire accoucher d'une autre vie sans distinction et sans injustice.

Une grosse bouffée de fierté vint sécher l'humidité qui

_____

(15) Eclater.

suintait de ses yeux tristes, alors elle prit la décision de partir de cette maison au plus vite.

Tout d'un coup, Mélody se mit à mettre de l'ordre dans sa buanderie, elle ordonnait dans sa tête tout ce qu'elle avait à faire avant son départ, comme s'il était imminent.

- Je regretterai beaucoup Monsieur Bruno, le seul être vraiment humain dans cette maison, se disait-elle.

Elle rythmait ses pas, ses gestes et tout ce qu'elle faisait sur la phrase :

- Il faut que je parte, il faut que je parte.

Elle ne cessait de se dire, comme pour se convaincre elle-même :

- Je ne vais pas tarder pour retirer mes pieds (16). Pas peur ! On verra ce qu'on verra...

Un jour que toute la famille était partie pour la journée à une réception à Saint-Claude, Bruno qui avait refusé d'aller, avait-il dit, s'asseoir à la table de gens qui le traitent de noiraud, serait-ce pour plaisanter, en profita pour s'entretenir avec Mélody :

- Pourquoi as-tu pris tes distances avec moi depuis l'incident du Certificat ?

- C'est comme cela monsieur Bruno, chacun doit rester à sa place, madame à raison.

- Tu sais bien que je n'approuve pas les agissements de mes parents et encore moins ceux de ma mère, puisque je te l'ai dit déjà.

- Mais je suis une domestique, on me traite comme telle.

- Je n'admets pas cela, moi !

- Oh ! il n'y a pas de mal à être domestique, M. Bruno. Aucun travail n'est méprisable. Dès que l'on gagne sa vie à la sueur de son front, c'est l'essentiel.

- Oui ! mais c'est humiliant et méprisant de te faire

_____

(16) S'en aller, partir.

comprendre à tout bout de champ que tu es inférieure parce que tu es servante.

- Que voulez-vous M. Bruno, j'ai lu quelque part dans un de vos livres, d'ailleurs, que « les gens sont durs et méprisants pour ceux que le bon Dieu a mal partagés ».

Et Mélody ajouta en riant :

- Et puis, M. Bruno, ce qui est humiliant pour quel- qu'un, à mon avis, c'est de demander la charité, de men- dier et aussi de voler.

- Mais il faut réagir autrement, Mélody, il ne faut pas être aussi résignée, fit Bruno.

- Vous vous trompez, M. Bruno, si on vous envoie cher- cher une résignée, il ne faut pas me prendre, je ne suis nullement résignée. Mais je ne suis pas encore une révoltée et je ne voudrais pas le devenir. Je réagis à ma façon. En ce moment, je préfère réfléchir sur ce que je dois faire.

- Penses-tu continuer tes cours du soir pour aller plus loin ?

- Justement, je suis en train de prendre connaissance de ce que je suis, l'interrompit Mélody, et j'essaie de com- prendre pourquoi nous sommes si nombreux dans ce pétrin de la vie, pourquoi il y a tant de Mélody qui comme moi se font du mouron dans les faubourgs et dans tout le pays... Et je commence à chercher aussi ce qu'il faut faire pour s'en sortir.

- Il faut lutter, conseilla Bruno.

Et il s'était mis à lui faire des confidences. Il lui apprit qu'il fréquentait à l'insu de ses parents un groupe de jeunes qui parlaient de changer la société, pour qu'il n'y ait plus ni pauvre, ni riche. Une société où tous les hommes seront égaux, quelle que soit la couleur de leur peau, où il y aura du travail pour tous, où tous les enfants mangeront à leur faim. Et la terre reviendra à ceux qui la travaillent, les travailleurs prendront la direction des affaires et les Guadeloupéens pourront être maîtres chez eux.

Mélody avait regardé son jeune patron avec étonnement et ne pouvait croire ce qu'elle entendait.

- Vous, Monsieur Bruno, ce n'est pas vous qui parlez ainsi, et non ! pas vrai ! Vous parlez comme Amie Bégonia et ses amis dockers du syndicat.

- Mais c'est bien, s'ils parlent ainsi, c'est la bonne façon de voir les choses et de parler.

- Vous faites de la politique alors, M. Bruno, vous voulez être maire ou député ?

- Avoir des opinions politiques ne veut pas forcément dire vouloir être maire ou député, mais c'est vouloir et surtout, c'est aider à faire changer le cours des choses, changer la société, changer la vie...

- Ah ! bon... fit Mélody un peu étonnée, et elle ajouta d'un ton très convaincu :

- Seulement, pour changer, elle mérite bien d'être changée cette sacrée vie, car elle porte vraiment trop d'injustices.

- Ah ! tu comprends cela, c'est bon, mais il faut aller plus loin, il faut participer avec d'autres, il nous faut lutter tous ensemble.

- Je comprends bien, Monsieur Bruno, mais c'est l'un après l'autre. Pour l'instant j'ai un seul but, un seul désir, c'est de n'être plus la servante ou la domestique, l'esclave de quiconque... Je prends mon mal en patience, car mon grand-père Sonson me disait toujours : « Il ne faut pas aller plus vite que la musique... Il faut savoir attendre. »

- Je comprends très bien que tu veuilles nous laisser. Mais cela ne t'empêche pas d'assister de temps en temps à une réunion. Tiens, il y a une grande conférence samedi soir, tu pourrais venir avec moi, écouter ce qu'on dit.

- Une conférence sur quoi donc ?

- Sur la Guadeloupe guadeloupéenne.

- La Guadeloupe guadeloupéenne ? Qu'est-ce que cela veut dire ? Et qui fait cette conférence ?

- Le Parti communiste ! répondit Bruno.

- Hein ! ces gens-là ! dit simplement Mélody d'un ton inquiet.

Bruno perçu son inquiétude et en devina les causes et reprit pour la rassurer :

- Mais ce sont des Guadeloupéens, ce ne sont ni des diables ni des chiens.

- C'est drôle que vous parliez ainsi, Monsieur Bruno, et j'en suis étonnée, alors qu'il n'y a pas deux jours, j'entendais votre père déclarer :

- Il faut tout faire pour liquider ces gens-là, pour en finir avec leur politique dans le pays.

- Mon père est mon père, mais moi je suis moi et j'ai mes propres pensées, mes idées personnelles.

L'arrivée des parents mit fin à cette longue conversation.

Mais le samedi, Mélody s'était arrangée pour sortir et aller à cette conférence avec Cilote, Amie Bégonia et tous ses autres amis des faubourgs.

Lorsque Bruno arriva, elle était déjà sur les lieux avec ses amis qu'elle lui présenta, et quand il s'était étonné de sa présence, elle lui avait répondu en riant :

- Je suis venue parce que vous n'avez pas eu le temps de m'expliquer ce qu'on entend par la Guadeloupe guadeloupéenne.

VI

Dino, comme un petit village lacustre, avait surgi dans la lagune comblée par des immondices de toutes sortes, avec par-ci, par-là des passes pour les canots des pêcheurs.

D'année en année, il s'était étendu, à mesure que la population de la ville augmentait avec l'abandon des habitations et des plantations de cannes à sucre, les premières fermetures d'usines qui avaient provoqué l'exode des campagnes vers la ville.

Dans un dédale inextricable d'étroits corridors, de couloirs, de cours et d'impasses aboutissant le plus souvent à des culs-de-sac occultes et insolites, avait poussé une immensité de baraques et de cases. Des taudis au soleil, sous le ciel bleu...

Dans un désordre déplorable, jouxtaient dans tous les sens d'anciennes cabanes de pêcheurs faites de vieilles tôles, quelquefois simplement de gros cartons durs, et des cases en planches posées sur quatre grosses roches, les toitures le plus souvent en appentis s'envolant plus légères que cerf-volant au moindre vent d'hivernage.

Là vivaient, dans une promiscuité terriblement lamentable et inhumaine, toute une multitude d'hommes, de femmes et d'enfants se débattant pour exister, comme des asphyxiés recherchant un peu d'air pur.

C'est dans ce quartier, à l'orée des marécages, que Mélody, lasse de chercher, avait enfin pris, malgré les protestations de Bégonia et de Cilote, une chambrette infecte dans une case dont les quatre pièces étaient toutes louées individuellement et à prix fort.

Depuis plusieurs mois, Mélody avait son chez-soi et vivait à Dino. Maintenant qu'elle était installée au cœur des faubourgs, elle pensait de plus en plus à Bonne-Espérance. Elle faisait la comparaison entre sa vie là-bas et sa vie dans cette petite chambre au fond d'une cour boueuse où l'odeur des tinettes empoisonnait l'atmosphère jour et nuit. Elle avait une tinette qu'elle partageait avec trois autres voisines, mais chaque fois qu'il fallait payer, c'étaient des messes et prières (1) pour faire verser sa quote-part à l'une d'entre elles. Souvent Mélody payait à sa place, car elle ne voulait vraiment pas, malgré tout, être privée de ce baquet, aussi répugnant qu'il soit.

- Je ne me vois vraiment pas chaque matin et chaque soir aller vider mon pot de chambre dans le canal ou dans la mangrove près de la mer.

Son amie Cicie lui avait trouvé un travail comme vendeuse dans une épicerie de la rue Raspail, aux environs de l'usine Bardroussié.

La route de Dino à Dubouchage, à pied, lui semblait longue par les matins frisquets. Elle devait laisser son domicile dans la brume de cinq heures pour prendre le travail avant six heures. Dès cette heure matinale, la boutique ne désemplissait pas, elle marchait tout comme l'usine. La buvette à l'enseigne engageante : « Rendez-vous des Amis » gardait les portes ouvertes jusqu'après le premier quart de nuit vers neuf, dix heures. Le matin, à part les ouvriers de l'usine qui quittaient ou prenaient leur quart, les premiers clients étaient les éboueurs et les vidangeurs, ensuite c'était

_____

(1) Supplication, demande avec insistance.

le défilé des dockers de la Transat et les ouvriers boulangers qui en rentrant du travail passaient prendre leur café noir et leur dékolaj (2). Les employés de l'usine, ceux qui prenaient le travail bien plus tard, vers sept heures, passaient aussi prendre leur didiko (3).

Mélody n'arrêtait pas. Elle servait le dékolaj et le café, faisait frire la morue salée, les akras (4). Mélody balayait, mettait de l'ordre, nettoyait son comptoir blindé de zinc, lavait le billot à détailler morue ou viande salée, tirait le rhum des dames-jeannes, soulevait et ouvrait les sacs de riz, de pois rosés et de lentilles et faisait toutes ces menues besognes qui l'amenaient jusqu'aux heures achalandées de fin de matinée où les ménagères venaient toutes ensemble. On aurait dit qu'elles se donnaient rendez-vous pour se rencontrer devant le comptoir. Et elles se transmettaient les nouvelles, donnaient des petits coups de langue sur une voisine absente, parlaient de la vie chère, de la cantine qu'on venait d'ouvrir, de la ville qu'on veut transformer de l'autre côté du canal. Puis après avoir bien bavardé, elles pressaient Mélody de servir plus vite car bientôt onze heures et les enfants allaient rentrer de l'école. A cette heure-là, c'était la bousculade... Mélody croyait perdre la tête avec toutes ces femmes babillardes et criardes, riant aux grands éclats, se congratulant quelquefois, s'invectivant le plus souvent. Elle vendait, comptait, additionnait, notait sur le cahier de crédit ou le carnet de compte pour le paiement à la quinzaine. Mélody plaisantait et riait aussi avec elles... Par ces clientes, elle savait ce qui se passait dans tous les foyers du quartier de Carénage et de la cour Zamia. Elle constatait que là, comme à Dino et dans les faubourgs de l'autre côté du canal, c'étaient les mêmes problèmes, le même mal de vivre, les mêmes rêves d'une autre vie, les mêmes désirs de mieux-vivre et de bonheur.

Elle ne s'arrêtait quelques minutes pour déjeuner que

---

(2) Petit verre de rhum sec pris le matin après le café noir.
(3) Casse-croûte.
(4) Petits beignets de morue ou de légumes.

vers deux, trois heures, après le passage des marchandes qui remontaient vers la campagne après avoir brûlé (5) au marché les produits de leur petit jardin créole : cives, piments, pois de bois, pois bouccoussou, gombo, épinards et autres herbages ; fruits : goyaves, mangues, pommes-cannelle ; vente de peu de rapports.

- La vie te donne d'une main et reprend de l'autre disaient-elles tristement en laissant à la boutique le peu d'argent tiré de la vente de leurs produits champêtres.

Mélody aimait beaucoup ces marchandes, elles lui portaient l'odeur du terroir. Elle les écoutait avec plaisir parler de leur jardin, du boucan qu'elles devaient allumer en arrivant, de la lune qu'elles attendaient pour planter patates, pois ou maïs, du manioc qu'on doit fouiller, gratter et râper pour faire la bonne farine de manioc bien sèche et des cassaves appétissantes, de la truie ou de la vache qui a mis bas. Elle s'attristait en les entendant parler de leurs enfants. Alors là, elles les enviait vraiment d'avoir des enfants, une famille et ressentait comme un coup au cœur. Mélody gardait toujours son désir d'avoir une famille, elle le conservait bien serré à l'intérieur de sa tête et au fond de son cœur. Elle ressentait de plus en plus la solitude de sa vie, malgré l'affection et la sympathie dont l'entouraient Amie Bégonia, Mirette, Célia, Evenore et toutes ses nouvelles amies de Dino.

Par certains soirs de solitude dans sa petite chambre, la mélancolie faisait monter en elle une accablante désespérance qui la laissait abattue et sans aucun ressort. C'était surtout par les soirs de pluie, tristes et sans fin où la cour devenait un cloaque boueux et immonde.

Mélody trouvait qu'en ville, la pluie était le malheur de la vie, alors qu'à la campagne c'était une bénédiction. On l'appelait pour arroser les cultures et porter une fraîcheur mêlée de bonnes senteurs de terre mouillée, de plantes et de fleurs. A la Pointe, à la moindre pluie, l'eau montait

_____
(5) Brader, bazarder.

95

dans les faubourgs et très vite coulissait dans les cours ; elle y amenait toutes les immondices et crottes se baladant dans les canaux à ciel ouvert. Elle gagnait du terrain pour insidieusement se faufiler sous les planchers, affleurant le seuil des cases... faisant monter à travers les fentes des planches, sangsues et mille-pattes.

Craignant une pluie subite, chaque jour avant de partir au travail, Mélody prenait soin de placer au beau mitan de la chambre sa grande terrine en zinc et sa cuvette émaillée blanche pour parer l'eau qui pouvait s'écouler du toit de tôles trouées. Elle qui aimait tant la pluie à Bonne-Espérance, était arrivée à la redouter sinon à la détester en ville. Là-bas, elle aimait entendre le bruit des gouttes crissant sur le toit de tôles : on aurait dit des doigts pinçant sur une guitare des notes douces qui la berçaient et la faisaient s'endormir bien vite au creux du flanc maternel. Elle adorait entendre le clapotement des cascades d'eau ruisselant des gouttières de bambous dans les barils placés à l'angle de la case.

Mais dans ces faubourgs, elle trouvait que la pluie était agressive : on dirait le bruit de dizaines de cailloux envoyés sur le toit. Le bruit des gouttes qui dévalaient des trous de la toiture dans la terrine et la cuvette l'agaçait et l'empêchait de dormir. Alors elle pensait et réfléchissait à sa vie, à ses malheurs passés, elle pensait à son père et surtout à sa petite Aimely.

- Ah ! est-ce dans cette cour, au milieu de tant de laideurs que j'aurais élevé mon Aimely ?... Mais qu'aurais-je trouvé d'autre pour la prendre avec moi ? se disait-elle, pleine d'amertume.

Mélody voyait chaque jour la vraie face des faubourgs, face inhumaine et avilissante. Et elle se demandait souvent :

- Mais franchement, n'est-il pas préférable de vivre à Bonne-Espérance, ne serait-il pas mieux de retourner chez moi ?

Elle restait liée à Bonne-Espérance et ne parvenait pas à

s'intégrer à la Pointe. Elle n'arrêtait pas de trimbaler Bonne-Espérance avec elle, dans ses pensées comme dans ses gestes et dans sa vie de tous les jours. Mais pourtant la ville lui offrait des découvertes inattendues qu'elle savait ne pas pouvoir trouver à Bonne-Espérance.

Elle plaignait et en même temps admirait le courage de ceux qui vivaient dans ces cours depuis de nombreuses années. Elle comprenait mieux maintenant comment on pouvait toucher le fond de la misère tout en ayant des chansons et des sourires aux lèvres. C'était cela le bonheur des pauvres. Ce que sa patronne et ses semblables avaient du mal à saisir, lorsqu'ils déclaraient en parlant des gens des faubourgs :

- Mais ils ne se plaignent pas de leur manque de confort, ils sont heureux puisqu'ils sont toujours en train de rire, de chanter, de danser et de s'amuser. Pourquoi vouloir changer cela ?...

Mélody se penchait surtout sur le sort des enfants, ces graines de misère qui poussaient comme mauvaise herbe au soleil. Elle s'attendrissait jusqu'aux larmes en voyant leur dénuement, en sentant la faim qui les tenaillait presque tous, et cela faisait monter la révolte qu'elle tenait tant à dompter.

- On ne trouvera jamais qui est responsable de la faim de tous ces gosses, se disait-elle.

Violetta, une de ses voisines, avait sept enfants. Mélody les avait aimés tout de suite, ces enfants qui vivaient de l'autre côté de la cloison de sa chambre, et qui venaient s'asseoir sur le seuil de sa porte dès qu'elle rentrait du travail, car ils savaient qu'elle portait chaque soir des bris de biscuits, des berlingots et autres friandises qu'elle ramassait à leur intention à la boutique.

La mère, dès trois heures du matin, se réveillait. C'était la première case où, à travers les planches, l'on voyait vaciller un timide lumignon qui rougissait le clair-obscur du jour levant.

Violetta occupait la dernière pièce accolée sur le tronc

impressionnant d'un vieux mapou (6) qu'on disait plus que centenaire. Dans cette chambre minuscule se tassaient les sept enfants et deux chats noirs et gris plus grassouillets que les enfants et qui ronronnaient dans leurs jambes pour jouer avec eux et faire des câlins. Violetta disait qu'elle les avait recueillis pour chasser les rats. Mais le vieux voisin Ildephonse pensait qu'au lieu de chasser les rats, les chats faisaient bon ménage avec eux et il disait pour plaisanter :

- Les rats et les chats s'entendent si bien chez voisine Violetta qu'ils y donnent de grands bals.

Par deux fois, des rats avaient mordu les deux derniers enfants, et Cicie qui était passée les voir, ayant eu peur que les plaies ne s'infectent, avait forcé la mère à les hospitaliser quelques jours. La dernière fois, il n'y avait pas de place au service des enfants, on avait couché le petit dans un carton à lait, mais il était là bien plus à l'abri de quelque infection que dans la case insalubre.

Mélody se lamentait chaque matin en entendant Violetta réveiller de si bonne heure les deux fillettes pour faire leurs nattes et aussi ses recommandations pour la journée.

Un camion ramassait, entre trois et quatre heures du matin, les coupeurs et les attacheuses afin de les emmener dans les champs de canne à sucre. Violetta était de la partie. Ainsi, chaque jour elle allait trimer pour gagner le pain de ses enfants sur les habitations de Bardroussié à Baie-Mahault et particulièrement sur l'habitation Versailles. Au début elle disait à ses deux plus grandes filles qui lui demandaient où elle allait de si bon matin :

- Je vais voir monsieur le roi-travail, dans son château à Versailles !

A son lever, elle préparait un p'tit repas pour les trois derniers qui n'étaient pas encore à l'école et elle pensait que c'était un soulagement pour elle de savoir que les grands avaient maintenant un bon repas, le midi, avec l'ouverture de la cantine.

---

(6) Arbre tropical dont le fruit sert à faire de la colle.

- Voilà une promesse tenue par la nouvelle équipe municipale, continuait-elle tout haut. Mais il y a toujours le problème des petits qui restent seuls à la maison. Heureusement qu'il y a le voisin Ildephonse qui veut bien jeter un coup d'œil sur eux pendant mon absence.

C'était Stanys qui lui faisait le plus de soucis. Un véritable petit homme. Trop homme pour son âge. Stanys était le chouchou de Mélody. C'était un bambin, aux jambes cagneuses mais solides, effronté et rusé, déjà chahuteur et moqueur, un sacré débraillé, le gavroche des faubourgs. A son âge, il connaissait tous les coins, recoins et couloirs de Dino. Il allait faire des commissions pour chacun : la chopine de rhum pour voisin Fonfonse, comme il appelait le père Ildephonse, le demi-pot de gros sel que voisine Denisa avait oublié d'acheter, ou la boîte d'allumettes pour un autre... On le gratifiait d'un bout de pain et les jours de chance, d'un sucre d'orge à touche ou d'un sucre à coco.

A cinq ans, il était pour ainsi dire le chef d'une petite bande de gamins livrés, comme lui, à eux-mêmes.

On les voyait presque partout. Ils vadrouillaient dans les coins les plus reculés, derrière le cimetière. Ils faisaient les cent dix-neuf coups, couraient dépoitraillés jusqu'à la mangrove, se baignant dans l'eau brak (7) du palétuvier d'où ils sortaient tout bleu et violacé. Dans les moments calmes, ils pêchaient des golomines (8) dans les caniveaux sales. Ils se bourraient l'estomac de mangotines (9) dérobées tout partout et, le visage barbouillé, ils s'aventuraient de l'autre côté de la rue Zabime, jusqu'au chemin de fer des trains de cannes à sucre pour suivre la loco et ramasser les cannes tombées. Ils s'asseyaient ensuite au bord des trottoirs de la rue du cimetière pour déguster les cannes rapportées. A grands coups de dents, les gosses, excités par la faim, épluchaient les tronçons avec leurs dents puis broyaient au moulin de leurs petites mâchoires, la canne nue dont les

_____

(7) Saumâtre.
(8) Guppy.
(9) Variété de mangue.

fibres blanches laissaient couler un jus succulent qui tombait goutte à goutte dans leur gosier. Ainsi ils trompaient leur faim et prenaient un répit avant de commencer d'autres forfaits. Quelquefois, pour prolonger cette accalmie, les filles jouaient à la marelle, tandis que les garçons bloquaient des noix de cajou entre les grosses racines à nu du fromager qui laissaient flotter dans l'air de nuageux flocons de kapok.

Chez Denisa, c'étaient de fréquentes passes, un seul va-et-vient continuel d'hommes dans le couloir. Les enfants, à l'école de la rue, savaient à quoi s'en tenir. Ils avaient assez entendu les adultes parler du commerce de voisine Denisa. Un jour, elle était rentrée avec un homme plus blanc que lait, les cheveux jaunes comme du safran, les yeux tout plissés à peine ouverts. Un curieux albinos. Les enfants n'en croyaient pas leurs yeux.

- Il a été échaudé le bougre, fit le petit Stanys.

- Est-ce que tout son corps est aussi blanc, fit un autre ?

Ils étaient tous, filles et garçons, fort intrigués et voulurent se renseigner. Et ils s'en allèrent silencieusement, à petits pas, regarder par les trous et les fentes des planches disjointes de la chambre de Denisa, assurés d'y voir l'homme tout nu.

- Fichez le camp, bande de galopins effrontés et vicieux, leur cria le père Ildephonse surgissant brusquement derrière la case. Inquiet de leur silence subit, il les avait cherchés, se doutant qu'ils étaient bien trop silencieux pour être sages.

Violetta rentrait certains jours entre deux et trois heures de l'après-midi, lasse, harassée. Il lui fallait mettre de l'ordre dans la maison trouvée sens dessus dessous. Elle arrangeait son grabat, battait avec précaution son vieux matelas qu'elle ne pouvait plus tourner sans qu'un tas de coton en boule ne coule par les déchirures de la toile à matelas déjà garnie d'une multitude de rapiéçages disparates.

La chambre était presque vide. Une grosse table de bois

blanc recouverte d'une toile cirée toute collée, quatre chaises au cannage défoncé. Le mur était tapissé de part et d'autre de portraits, d'images et de reproductions de paysages découpés dans les revues et illustrés. Dans des clous, au-dessus de la caisse portant sur un morceau de tôle ondulée le réchaud à pétrole, était suspendue une série de casseroles si étincelantes de propreté qu'on pouvait s'y mirer. Un contraste frappant : misère et propreté.

Mélody pensait :

- Ce ne sont ni le courage ni les projets qui lui manquent.

Mais Violetta, malgré sa volonté, n'arrivait pas à joindre les deux bouts, elle vivait seule avec ses sept enfants. Un jour, elle en avait eu assez des bordées de leur père Théogard et l'avait chassé.

Mélody se rappellerait toujours de ce jour où Théogard, rentré après trois jours et trois nuits d'absence, avait eu le front de dire à Violetta que l'enfant qu'elle portait n'était pas de lui.

Elle avait admiré le courage de sa voisine lorsqu'elle avait dit sans cri ni pleur :

- Fous le camp d'icite (10), emmène tes cliques et tes claques ! Et vite !

Et, joignant le geste à la parole, elle le poussa hors de la chambre, avec une énergie décuplée par la colère. Les dents serrées, écumant de rage, comme une furie, elle lui jeta ses quelques effets et ses hardes dans la boue de la cour.

Dans la nuit, elle accouchait de la petite Juanita, la première filleule de Mélody.

Depuis, Violetta vivait seule avec ses enfants et disait :

- Mwen cé apa ! mwen cé anman ! (11).

Lorsque les autres voisines lui disaient qu'elle ne pourrait pas s'en sortir toute seule, elle répondait :

- Moi, faire venir un homme marcher la nuit sur cette

_____

(10) D'ici.
(11) Je suis le père ! Je suis la mère !

flopée d'enfants vautrés dans leurs haillons sur le plancher troué ! Ah, non ! Et la morale alors !

Cependant, elle pensait un peu comme ses amies... Certains jours elle se mettait les deux mains sur la tête, car c'était dur, très dur de voir les enfants s'endormir avec seulement un thé de feuilles à corrossol (12) et du pain dans l'estomac. Elle se rappelait toujours avec un serrement au cœur le jour où elle n'avait pu acheter du lait pour la petite dernière.

- Heureusement, se disait-elle, que je n'avais pas jeté le marc de café de la veille, alors j'ai pu faire couler dessus un peu d'eau bouillante. Pour ma chance aussi, il me restait un peu de sucre où agonisaient quelques fourmis folles.

Elle frissonnait et retenait ses larmes en pensant avec horreur :

- L'eau d'café était tellement claire ! Ah ! c'était vraiment un jus de chaussette.

Et elle revoyait la petite bouche goulue du bébé quand elle y introduisit le biberon rempli de ce breuvage insipide.

Un autre jour, Cicie était venue avec une dame de la nouvelle municipalité. Il était déjà midi et pas de casserole sur le feu, très perspicace, la dame avait compris le dénuement indicible et les larmes aux yeux, elle avait ouvert son sac, et en lui donnant un peu d'argent, elle lui avait dit :

- Tenez, achetez un bannton (13) et du lait pour les enfants.

Ce jour-là, grâce à cette dame, elle avait pu donner aux enfants un bon bol de chocolat au lait et du pain bien frais.

Pendant que Violetta repassait ces souvenirs amers, elle vaquait à ses petites occupations. La soupe à pied ou à zo a têt (14), qu'elle préparait toujours le soir lorsqu'elle avait un peu d'argent, chauffait doucement sur un petit réchaud à charbon. Elle s'occupait du bébé. L'enfant criait

(12) Fruit tropical.
(13) Pain de 500 g.
(14) Pied ou os de la tête du bœuf.

et trépignait dès qu'on l'approchait de la grande terrine en zinc dans lequel son bain tiédissait au soleil, tout parfumé de feuilles de patchouli, de basilic et de corrossol.

Après le bain, elle berçait son enfant en chantant. Elle chantait cette chanson désespérée des femmes de Guadeloupe, en pensant à cet homme qui avait brisé sa jeunesse, en lui donnant sept gosses et qui lui a fait la pire insulte en récompense de sa fidélité. Elle chantait :

- Alé bouro ! sa ou fê la pé ké pôté ou bonê ! (15).

Elle chantait de plus en plus fort. A tue-tête, elle criait sa malédiction à la face du monde, espérant sans doute que le vent la porterait à celui pour lequel elle la proférait.

Dans la pièce à côté, Mélody entendait cette chanson et la fredonnait en même temps que sa commère. Mais chaque fois, une vague de tristesse et d'inquiétude l'envahissait, et elle se demandait pourquoi cette chanson la troublait tant.

- Cette chanson me fait peur, elle me fait comme un pressentiment, se disait-elle.

Violetta chantait aussi pour endormir son bébé, une autre chanson de détresse. Mais celle-là, elle la chantait avec moins de violence, même avec une certaine tendresse :

- Kan pitit an mwen ka mandé mwen tété
  Mwen ka lé ba li manjé matété
  Dodo pitit, papa pa la
  Cé manman tou sel ki dans la misé
  Cé manman tou sel ki dan lanbara (16)...

Mélody pensait et se demandait : « Combien de mères, dans ces faubourgs et dans ce pays, vivent et ressentent encore profondément les émois de ces deux mélodies ? » De même, lorsque Violetta disait : « Mwen cé anman, mwen cé

---

(15) Allez bourreau ! Ce que tu m'as fait ne te portera pas bonheur !...
(16) Quand mon bébé me demande à téter
  Je vais lui donner du riz aux crabes
  Dors mon bébé, papa n'est pas là
  C'est maman seule qui est dans la misère
  C'est maman seule qui est dans l'embarras...

apa (17). » Mélody pensait : « Pauvre Violetta ! pauvre femme ! » Mais elle percevait cette affirmation de sa commère comme une réalité, une particularité bien établie qu'elle voulait de toutes ses forces voir changer et dont elle ne voulait pas hériter.

- Moi, je veux avoir une famille véritable. Une famille, c'est pas une mère et des enfants. C'est un père, une mère et des enfants qui respirent, pleurent tous ensemble, s'entraident et s'aiment tous d'un même cœur, se disait-elle, comme secouée par les transes d'une espérance presque morbide.

Et Mélody se sentait prête à mener un combat pour ce droit qu'elle croyait essentiel et vital. Avoir une telle famille. Elle souhaitait qu'on puisse un jour arriver à cette conception de la famille. Mais elle ne pouvait s'empêcher de penser que c'était une question d'esprit de responsabilité et que cela dépendait aussi de la société elle-même. Et elle se demandait soucieuse :

- L'ensemble de notre population est-il prêt et surtout est-il capable de prendre ses responsabilités, toutes ses responsabilités et cela dans tous les domaines ?

Elle causait de tous ces problèmes avec voisin Fonfonse qui lui rappelait beaucoup père Sonson. Il vivait lui aussi seul, sa femme Euchariste étant morte d'une mauvaise fièvre. Il racontait comment la typhoïde avait fait des ravages dans les faubourgs, il disait :

- Cette année-là, Eloïse avait perdu trois enfants l'un après l'autre, Berthilie deux, Myrta trois aussi.

Voisin Fonfonse était cordonnier de son métier et jusqu'à ce que ses yeux le lui permettent, ils ressemelait encore des chaussures et leur donnait une autre jeunesse, regrettant de ne plus avoir à faire les belles bottes de cuir que l'on portait dans le temps. Il n'y avait pas plus fort que lui en la matière. C'était un maître-bottier avec plusieurs apprentis. Il amenait dans les faubourgs sales les

---

(17) Je suis maman, je suis papa.

bourgeois, les Blancs créoles et les gros mulâtres bien nippés de la ville, qui venaient se faire chausser comme ils disaient chez le vieux nègre de Dino.

Voisin Fonfonse connaissait des histoires et des histoires sur tous ces gens comme il faut de la ville, et les « montants et descendants » de tous les possédants des quartiers chics, anciens et nouveaux.

Il était fier d'être né à la Pointe, il disait que les véritables Pointois étaient aussi rares que des nègres à zié blé (18).

- Je suis moi un Pointois natif natal, aimait-il dire.

Comme le père Sonson, il parlait aussi des ancêtres et racontait des histoires du temps de l'esclavage. Il parlait aux enfants d'un certain mulâtre Béranger bon et généreux qui avait une fillette qui était moitié-fleur, moitié-oiseau, et Mélody avait ri, incrédule, alors que les enfants ouvraient de grands yeux étonnés. Il racontait aussi des anecdotes édifiantes sur une certaine mulâtresse qu'il appelait tantôt Réséda, tantôt Joséphine ou Miraculeuse, qui avait été la maîtresse du Comte de Béchamel et qui était aussi belle qu'exécrable et cruelle. Cependant, il avait parlé, avec respect, d'une autre mulâtresse prénommée Solitude, une matoufanm (19), avait-il dit, qui s'était sacrifiée pour la liberté en se faisant sauter à Matouba avec Delgrès.

- Solitude doit être l'exemple des filles et femmes de Guadeloupe, avait-il ajouté.

Un jour, les enfants ne virent pas voisin Fonfonse, mais comme il avait dit qu'il partait de bon matin voir des parents à la campagne, on ne commença à s'inquiéter de son absence que deux jours plus tard.

Lorsqu'on décida d'ouvrir sa chambre, une meute de rats s'éparpilla dans tous les coins. Mélody et Violetta poussèrent en même temps un cri d'effroi en voyant voisin Fon-

(18) Aux yeux bleus.
(19) Maîtresse femme.

fonse étendu sur son lit, mort depuis deux jours, le bout du nez déjà rogné par les rats.

A partir de cet événement, Mélody prit la décision de laisser cette cour. Elle entreprit de toutes ses forces de convaincre Violetta de la nécessité d'une autre atmosphère pour ses enfants et s'évertua à faire naître dans l'esprit de sa commère des rêves d'une vie meilleure. Elle lui parlait des logements qu'on allait construire à la place de ces taudis à rats, l'entraînait dans les réunions d'information sur ce sujet, lui portait des tracts, lui expliquait l'opération à tiroirs qui allait commencer avec le décasement (20) annoncé.

- Ce n'est pas possible de laisser grandir des enfants dans ces lieux infects, répétait-elle à Violetta.

Et elle pensait aussi à sa petite Aimely et se demandait :

- Comment aurais-je pu supporter de la voir grandir dans un tel taudis, à la merci des rats ?

_____

(20) Déplacement des cases.

VII

Mélody se tournait et se retournait dans son lit. Elle n'arrivait pas à s'endormir. C'est qu'elle ne pouvait digérer cette grosse bolée d'émotions que la nuit venait de lui servir. Et finalement elle s'était dit :

- A quoi bon dormir maintenant, pour me réveiller dans une heure.

Car chaque matin, elle était debout bien avant cinq heures afin d'avoir le temps de se préparer pour être à son travail à six heures.

Alors ce bon matin, elle préférait encore laisser remonter ses souvenirs pénibles ou réconfortants, que de retrouver un sommeil toujours en proie à ce cauchemar qui la poursuivait et tourmentait toutes ses nuits.

Comme des vagues qui déferlent en roulant sur elles-mêmes, des flots de souvenirs remontaient et roulaient dans sa tête, pour se briser jusqu'à son cœur. Des souvenirs de son enfance à Bonne-Espérance, de l'itinéraire de sa vie et de celle de ses amies, de Evenore en particulier, ce jour-là.

- Ah ! ce système ! c'est un abattoir, un abattoir de dons artistiques surtout, pensa-t-elle subitement tout haut, comme émergeant du bout d'interminables dédales.

Mélody ne pouvait s'empêcher de se remémorer ses petits succès aux différents concours de chant des fêtes patronales. On disait qu'elle avait du talent, et elle rêvait d'être une grande chanteuse populaire, croyant ferme qu'un jour elle pourrait immortaliser sa voix dans des disques célèbres.

- F.I.N.I., fini tout cela et pas seulement pour moi qu'ils se sont évaporés, les rêves, disait-elle.

Et elle pensait que Mirette aurait pu être une grande danseuse, Célia une chef-cuisinière réputée et bien d'autres filles dans bien des domaines auraient pu briller. Alors elle revint à son amie Evenore au chevet de laquelle elle venait de passer presque toute une nuit blanche avec Amie Bégonia et Célia. Evenore qui venait de leur donner tant de frayeurs.

On disait qu'Evenore avait des mains de fée, elle faisait ce qu'elle voulait de ses dix doigts et avait un véritable don.

Elle était descendue à la Pointe en même temps que Célia. A Bonne-Espérance, elles étaient déjà vraiment inséparables. Sœurs de première communion, sœurs pour la vie. A son arrivée à la Pointe, elle travailla elle aussi comme bonne d'enfants pendant près de deux ans. Elle avait par la suite trouvé avec joie un travail comme ouvrière chez un grand tailleur. Cependant, elle regrettait de n'avoir qu'à bâtir, surfiler, piquer à la machine et faire les finitions. Et que sur des vêtements d'hommes. Evenore avait plutôt une vocation de couturière, pas de simple ouvrière ou de petite cousette. Elle avait toujours aimé concevoir des modèles, tailler, draper et réaliser ce qui lui venait à l'esprit.

Petite fille, elle faisait les robes de toutes les poupées-matwon (1) de Bonne-Espérance. En échange, elle réclamait à ses amies, soit un abricot-pays, une grappe de

_____

(1) Poupées de chiffons.

quénettes (2), des noix-cajou, soit une jolie pince ou un ruban pour ses cheveux, un collier en graines à job ou quelques coquillages. Elle déclarait avec un grand sérieux :

- Tout travail mérite salaire.

Les petites robes de poupée que faisait Evenore étaient de véritables petites œuvres d'art. Chaque robe était d'ailleurs unique en son genre.

- Je ne peux pas faire la même chose deux fois, avouait-elle lorsqu'on lui réclamait une robe comme celle de la poupée de Lia ou de Mirette...

Mélody se souvenait soudain qu'une fois, à l'instigation de Cicie, toutes ces fillettes de Bonne-Espérance avaient réalisé un concours d'élégance de poupées. C'était exactement comme ce qu'on appellerait aujourd'hui, une collection de modéliste. Alors, avec une certaine nostalgie, Mélody toute alanguie s'était mise à revivre ce concours-jeu du bon vieux temps de son enfance à Bonne-Espérance.

Elle se rappelait très bien que c'était elle qui avait été demander à Mabo Surprise de leur prêter son parterre.

- Ah ! le parterre de Mabo Surprise !

Mélody se disait que c'était le plus beau et le plus fleuri de toute Bonne-Espérance. Il était rempli de papillons fantastiques et de mille senteurs entêtantes, troublantes, introuvables nulle part ailleurs.

C'est dans ce cadre que les fillettes avaient décidé un jour d'exposer plus de trente poupées-matwon aux robes colorées, froufroutantes, originales, géniales même. Elles étaient exposées un peu partout, aux creux des branches des crotons lumineux, sur les tiges de rosiers fleuris et des hibiscus aux tons pastels, ainsi que sur les branches des bougainvillées croulant sous le poids d'énormes grappes de fleurs d'un rouge écarlate ou d'un violet d'améthyste.

Le spectacle était merveilleux, riche et en même temps si émouvant que toute la journée, les adultes se sont mêlés au jeu des gamines pour venir admirer, extasiés, les pou-

_____
(2) Petits fruits ronds à chair crémeuse.

pées-vedettes. Et cela même les hommes. Le directeur de l'usine Blanchonnet venu en tournée et qui avait assisté à l'installation le matin, était revenu avec sa femme dans l'après-midi. Ils avaient pris des dizaines de photos, et madame la directrice ne cessait de répéter tel un disque rayé :

- Mais ce n'est pas croyable !!! Mais cette fillette-couturière, c'est une future Coco Chanel, une future Dior, une future Balmain de la Guadeloupe !

Et Cicie l'avait entendue murmurer à son mari en grimpant dans leur jeep :

- Et bien, mon cher mari, ces petites nègresses bitaco (3) n'ont pas fini de nous réserver des surprises.

Au moment où on avait failli perdre Evenore, ce souvenir d'enfance était remonté du gouffre de l'oubli pour bien faire peser à Mélody tout le poids de l'injustice de cette vie que toutes ses amies et elle-même subissaient bon gré, mal gré. Alors lui revenait aussi une phrase retenue dans *Le fou d'Elsa* d'Aragon que Monsieur Bruno lui avait prêté. Elle aimait bien la répéter :

- « Le monde est là, nous sommes part de sa souffrance. Bon gré, mal gré... »

Et elle continuait à penser à Evenore trouvée la veille dans sa case, seule, entre la vie et la mort, baignant dans son sang.

Evenore qui était devenue bien vite la couturière de Bonne-Espérance. Dès sa sortie de l'école à quatorze ans, elle commença à faire les robes de ses amies. La voyant tellement douée et si intéressée, Surprise lui avait offert la petite machine à coudre à un fil qu'elle tenait de sa marraine, une vieille mulâtresse presque blanche, couverte de kaka kodenn (4), femme de l'un des premiers inspecteurs agricoles de l'habitation.

Surprise avait alors appris à Evenore à confectionner les

---

(3) Campagnarde, pequenaude.
(4) Taches de rousseur.

grandes et somptueuses robes à corps que portaient si majestueusement les grands-mères. Elle lui avait aussi appris à tailler culottes et shorts pour garçonnet, pantalons et vestes pour homme.

Mais à Bonne-Espérance, la clientèle était limitée et payait peu, si ce n'est rien le plus souvent. Alors, comme la plupart des autres jeunes filles, pendant la récolte, Evenore était obligée de se jeter dans les cannaies pour gagner un peu d'argent, délaissant fils, aiguilles et dé à coudre pour coutelas et amarres.

De sorte que, lorsque sa sœur sainte table Célia, décida de partir se placer en ville, Evenore prit la décision de partir elle aussi, espérant pouvoir faire en ville le métier qu'elle voulait. Elle rêvait d'avoir un jour son propre atelier de couture, et de confectionner de belles toilettes pour les grandes dames de la ville.

Mélody pensait alors que les histoires de la ville étaient bien plus pénibles et plus cruelles que celles de Bonne-Espérance. Et plus amère que jamais en ce bon matin où Evenore gisait tout endolorie et sans force sur un lit d'hôpital, Mélody se disait :

- Evenore rêvait d'avoir un jour son propre atelier, hélas ! ça ne semble pas demain la veille.

Pourtant Evenore avait été très contente de trouver la place chez le tailleur. Elle gagnait très peu mais était contente de ce salaire fixe pour pouvoir payer régulièrement le loyer de sa chambre. Evenore elle aussi, habitait à Dino. Pour arriver à sa case, il fallait mesurer ses pas, l'un après l'autre avec précaution et adresse, sur les planchettes placées dans des flaques qu'aucun carême n'arrivait à assécher.

Mais une fois rentré dans cette case, c'était comme un enchantement. Un ravissement pour les yeux. L'intérieur de la chambre de Evenore était un véritable chef-d'œuvre de collage. Elle avait tapissé les minces cloisons de caisse artistiquement d'une sorte de patchwork coloré fait de découpages d'images, de pages de revues ou de reproductions de photos d'almanach.

Evenore avait beaucoup hésité avant de prendre cette chambre, et un jour, elle avait dit à Mélody :

- Tu ne crois pas que c'est une profitation de demander si cher pour un poulailler pareil ?

- Tu sais, ces bonnes gens de la grande ville ne font pas de sentiment. Ils ne savent qu'entasser de l'argent, c'est cela seulement qu'ils ont à la tête et aux tripes, avait répondu sévèrement Mélody.

Et Evenore avait repris :

- Lorsque je pense que ces terrains, on dit qu'ils les ont eus, soit par copinage, soit en les accaparant sans aucun papier et surtout sans débourser un sou.

- Ce sont des pourris, leur richesse, leur puissance sont pétries dans la boue, les ordures, la charogne et la misère, avait encore déclaré Mélody d'un ton outré.

Evenore avait conclu, résignée :

- Biens de la terre restent à la terre !

Auparavant, Evenore vivait avec Célia à la rue Ticaca, mais lorsque son amie commença à fréquenter Vitalien, croyant qu'elle la gênait, elle avait enfin loué cette chambre au détour de la rue Projetée, débouchant à Dino.

Presque tout son salaire servait à payer le loyer. Il ne lui restait pas grand-chose pour manger. Heureusement que pour s'habiller, de la moindre cotonnade, elle avait l'art de tirer une petite merveille de robe.

Ainsi les qualités, les talents d'Evenore furent bien vite remarqués par son patron, tout aussi bien que la finesse de ses traits, sa joliesse et son élégance parfaite, facile, naturelle d'une extrême simplicité.

Au fil des mois, le patron lui montra alors plus que de l'intérêt. Finalement, il lui avait promis même de l'épouser et qu'alors il agrandirait l'atelier en ouvrant pour Evenore un rayon de confection femmes. Evenore l'avait cru, elle avait confiance et elle espérait.

Mais une nuit, le taillleur mourut brutalement dans un accident de voiture. Du jour au lendemain, Evenore s'était trouvée sans travail et mise à la porte par la femme du patron, car ce dernier était bel et bien marié.

Après avoir vécu six mois de détresse, dont Mélody connaissait la profondeur pour l'avoir elle-même dans le temps mesurée, Evenore se trouvait désemparée, hébétée, épuisée. Au bout de six mois de dures privations avec bien des jours sans pain, des menaces d'être expulsée de son logement pour non-paiement de loyer, voilà que cette nuit, alors que novembre versait les pleurs saisonniers de ses morts sur les faubourgs humides et tristes, Evenore avait frôlé le trépas en mettant au monde, seule dans sa case, un gros garçon né-coiffé.

Mélody arrêta là ses réflexions. Le jour avait percé l'obscurité de ce matin pluvieux, alors vite, elle avait couru sur le marché Réau et avait acheté une petite poule ginn (5) qu'elle avait portée à Célia en lui disant :

- Je file au travail, tiens, fais consommer un bon bouillon et porte-le à Evenore.

Célia avait fait un bon canari d'une soupe fumante fleurant bon le céleri, l'oignon rôti et le girofle, qu'elle avait portée à Evenore.

- Chez nous à Bonne-Espérance, tu sais très bien que pour qu'une accouchée retrouve vite ses forces, il lui faut un bon bouillon de poule, avait simplement dit Célia pour répondre à la surprise de Evenore.

Mais pendant toute la journée et les jours qui suivirent, l'état de santé d'Evenore avait suscité beaucoup d'inquiétude et aussi beaucoup de réflexions à Mélody traumatisée. Cela l'amenait surtout à ouvrir les yeux, à observer la vie et apprécier le sort de ses amies et de son entourage.

Dino était devenu son monde. Un monde à part pour beaucoup de gens, surtout pour ceux qui tenaient les rênes du destin de toute cette multitude qui vivait-là. Mélody, elle, se voulait de plus en plus proche du tréfonds de chaque enfant, chaque femme, chaque homme dont elle se

_____
(5) Race de poule ou de coq de combat issu du faisan.

sentait la pareille, la comparse. Un lien invisible qui la tenait au cœur, nouait leur réalité commune.

La vie à Dino, derrière le cimetière, tout le long du front de mer jusqu'à l'abattoir, pouvait-on dire que c'était cela la vie ? Purgatoire ou enfer ?

Pourtant des chants, des rires, des sons de gwo-ka montaient de Dino. Et Dino malgré ses conditions de vie, les miasmes, le paludisme, demeurait imperturbable, grouillant, bruyant, joyeux et attractif, riche de la culture traditionnelle et véritable.

Au fil des mois, Mélody découvrait alors son nouvel univers. Elle pensait que si Dino chantait, c'était pour rompre le silence de cette misère logée dans chacune des cases, et surtout pour faire fondre l'indifférence enracinée dans le cœur des nantis.

Le père Sonson lui disait souvent :

- Sache, la Mélo, que le son du gwo-ka a toujours fait frémir les nantis de crainte, de peur, de sueurs froides.

Mélody, en s'en souvenant, pensait que c'était sûrement pour cette raison que Dino chantait. Elle était bien placée pour le croire, elle qui aimait tant le gwo-ka et qui répétait souvent :

- Ce sont les chants et les rythmes de gwo-ka qui ont semé l'espérance sur les ruines de mon enfance.

Alors elle prenait plaisir à écouter attentivement tous les bruits par lesquels Dino et les faubourgs revendiquaient leur droit à la dignité d'êtres humains. Elle retrouvait cette même revendication dans les voix vibrantes et joyeuses des marchandes qui, par les ruelles bourbeuses ou dans les encoignures des faubourgs, criaient pour offrir leurs crues : cocos à l'eau bien frais, oranges juteuses et les fruits du soleil : pastèques, melons venus droit de Massioux. Et aussi dans la voix de Do qui vantait ses burgaux et dans celle de Titine criant son boudin bien chaud, couché paresseusement en brasses arrondies, ruisselantes de graisse au piment du soleil. Porte à porte, dans les voix rivales de Za chantant ses grappes de topinambours : Toupi ! joué mwen ka linyé (6) et de Man Na louant son délicieux sorbet au coco : Machann sorbé ! (7).

Et la nuit, d'autres bruits, d'autres chants. Ceux des petites grenouilles, mêlés à ceux d'un sové vayan (8), de quelque veillée, les rythmes d'un lewoz (9) ou d'un bal au commandement, le tintamarre de chats dans leurs ébats amoureux, le concert des meutes de chiens errants, le sifflement du vent dans les filaos et le clapotis des vagues sur les canots.

Le mystère de la nuit transformait les faubourgs qui paraissaient alors aussi potables que sur les photos des cartes postales. Ils faisaient exotiques, comme disaient certains. La lune se mirait sans dégoût et sans honte dans les eaux troubles des flaques immondes. Et à la surface des canaux scintillaient les reflets d'innombrables étoiles suspendues au haut du ciel noir. En même temps, les feux follets faisaient d'interminables sarabandes, folles bluettes dans la nuit, pointant aussi leurs images dans les eaux sombres.

Dino abritait aussi l'avenir du pays, son espoir. Dans la toute dernière case, contre le gros tuyau, logeaient des jeunes lycéens venus de lointaines communes. Leur louer cette case, coûtait moins cher aux parents que de payer une pension en ville. Dans cette méchante cambuse, ils étaient quatre, installés très sommairement. Ils étaient contents d'avoir un toit pour les abriter. Ils faisaient eux-mêmes leur petite cuisine, leur lessive et menaient un train de vie plus que modeste. Bien souvent, le soir, ils s'asseyaient sur le gros tuyau, pour apprendre leurs leçons au clair de lune, afin d'économiser le pétrole de leur petite lampe en fer blanc.

« Ainsi, Dino couvait dans ses flancs, une partie de ce qui sera peut-être l'élite, l'intelligentsia du pays », avait

---

(6) Toupie ! jouez ! moi, j'enroule la ficelle.
(7) Marchande de sorbets.
(8) Chants rythmés de veillées mortuaires.
(9) Danse ancienne.

pensé Mélody en découvrant l'existence de ces jeunes lycéens.

Tout le monde à Dino d'ailleurs avait conscience de cela. Et on admirait ces jeunes gens, on leur donnait amicalement de grandes tapes dans le dos, comme pour leur dire : « Tenez bon, tenez bon, on vous soutient. »

On leur parlait avec une déférence affectueuse, protectrice, on parlait d'eux avec un certain orgueil. La marchande d'akras leur en donnait toujours deux ou trois en rab (10). Titine, la plupart du temps, ne leur faisait pas payer le p'tit bout de boudin qu'ils venaient acheter et Maïjo l'intrépide, cette femme aux allures soldatesques qui, d'un seul coup de poing avait brisé une urne un jour d'élection, se faisait un devoir, chaque jeudi, de leur porter une grande casserole de soupe à pied ou de zo a têt (11)... Même les tout petits, avec Stanys le gavroche des faubourgs, leur offraient des nœuds de canne sciés, des mangues ou des surettes rapportées de leur expédition... Toutes les jeunes filles en bouton étaient amoureuses d'eux et leur faisaient des yeux doux bouleversants. Et le père Fonfonse défunt répétait avec fierté :

« Ce sont nos intellectuels, l'avenir du pays. Dans dix, vingt ou trente ans, ce seront de gros messieurs, ils formeront l'élite sur laquelle nous comptons pour nous aider à faire monter le pays. »

Mais Mélody se demandait un peu anxieuse : « Comment seront-ils en ce temps-là ? Garderont-ils le souvenir de leur passage à Dino ? Seront-il de notre côté et à nos côtés pour nous aider à changer la vie ? Ou resteront-ils bien au chaud dans leurs pantoufles ? »

De tristes réflexions la bourrelaient sur l'avenir de ces jeunes gens, comme sur l'avenir du pays. Elle répétait sans cesse, pour essayer de bien en capter le sens, cette phrase qu'elle avait lue sur son journal :

---

(10) Rabiot.
(11) Os de la tête de bœuf.

- « La condition pour le libre développement de tous, c'est le libre développement de chacun ».

Mélody avait toujours besoin de comprendre, d'apprendre, de parler. Elle aimerait poser beaucoup de questions à Cicie ou à Monsieur Bruno. Dans ces moments de soif d'un savoir qu'elle jugeait rédempteur, enivrant et salutaire, elle pensait à son père Congo :

- Sans doute, il aurait pu m'expliquer pas mal de choses, se disait-elle.

Mélody ne s'imaginait pas un seul instant que Congo ait pu être illettré ou tout bonnement inaccessible à l'instruction. Elle regrettait son absence. Alors en ces moments-là, elle s'essayait, comme subjuguée, s'appliquant à retrouver l'image et la voix de son père. Et c'était extraordinaire, elle arrivait à les retrouver, de même que la sensation chaleureuse qui faisait tressaillir ses petites fesses nues contre les cuisses volumineuses, musclées et tressautantes de son père lui chantant sié bwa, sié bwa (12).

C'est dans cet état d'âme que Mélody assistait au départ de l'hivernage.

Novembre se pressait, humide, avec ses pluies torrentielles, ses coups de tonnerre subits, fracassants, effrayants et les éclairs inouïs de clarté fulgurante qui cinglaient l'air de toutes parts.

Pleurs et pluies d'hivernage. Tristesse et désespérance de ceux qui ne savent pas s'ils sont des pauvres gens ou des gens pauvres.

Mais pour Mélody la désespérance ne sert à rien et ne résout aucun problème, même lorsqu'on est comme Evenore actuellement, dans la dèche la plus complète.

Pour elle, Dino, les faubourgs devaient changer, devaient se transformer. En attendant, il lui fallait trouver une autre case. Depuis la mort de père Fonfonse rongé par les rats, Mélody voulait à tout prix quitter cette infecte cour où elle se sentait s'étioler et vieillir avant l'âge.

---

(12) Scions le bois, scions le bois.

Ainsi Mélody ne voulait mettre au rencart ni ses souvenirs, ni ses espérances. En parlant des premiers, elle disait en montrant sa tête et son cœur :

- J'ai là et là, comme qui dirait, deux malles de souvenirs qui me fouettent pour me retaper et me faire revivre.

Et pour les secondes, elle déclarait :

« L'espérance, c'est comme un bel oiseau qui ne veut pas se laisser attraper, mais tonê mécraz (13) si, moi Mélody, je ne l'attrape pas un jour. »

Décidée, consciente et sûre maintenant de ce qu'elle cherchait, de ce qu'elle voulait, Mélody était résolue de courir patiemment après l'espérance et le bonheur.

---

(13) Le tonnerre m'écrase...

VIII

De plus en plus, Mélody détestait cette cour, cette chambre où elle passait tout son temps le dimanche à récurer le plancher, à brosser les cloisons pour les débarrasser de la crasse et de la suie accumulée des années durant. Sa seule victoire dans cette chambre avait été celle acquise sur les punaises qui nichaient leurs œufs partout dans les plinthes entre les planches des cloisons.

Mabo Surprise lui avait envoyé un paquet de feuilles de « Man Vilarete » et de cajou senti (1) qui lui avaient enfin permis d'éliminer ces petites vermines infectes qui, avec les attaques des moustiques et le charivari des chats dans les gouttières, empoisonnaient ses nuits.

Elle pensait qu'il fallait à tout prix qu'elle s'en aille de ce trou à rats, sinon elle deviendrait braque. Il lui fallait à tout prix trouver un autre logement plus décent et plus grand. Après avoir prospecté d'un bout à l'autre de la rue projetée, elle avait parcouru en compagnie de Cilote et de Bégonia tous les faubourgs Nassau, Henri IV, Schœlcher, la

---

(1) Herbes, arbustes aux feuilles malodorantes.

rue Bouchonnery Lardannet, pour essayer de trouver une petite chambre potable.

- On va décaser (2) partout ici avait dit Cilote... On va rénover tous ces quartiers...

- Il le faut, répondait Mélody car c'est inhumain de faire vivre des hommes, des femmes et surtout des enfants comme nous vivons par ici.

- Sais-tu que plus de quinze mille Pointois vivent dans ces conditions ? fit Cilote.

- Vraiment ! Ah ! je ne comprends pas ces criminels qui viennent nous prêcher de ne pas sortir de ce vaste cloaque. Mais en attendant, il faut que je trouve mieux que ce que j'ai maintenant, pensait Mélody à haute voix.

Et un jour, ce fut la grande joie. Joie de déménager. Partir enfin de ce trou. Un samedi soir, avec Bégonia, Mirette, Célia, Cilote et Bertobin, le neveu de Cilote, en trois allers et retours de Dino au faubourg Henri IV, ils avaient vite fait de transporter sur leur tête et à bras, les quelques effets qui constituaient le mobilier de Mélody.

Mélody avait acheté une chopine de rhum et trois petites gazeuses (3) et elle avait reçu ses amis et pendu la crémaillère. Ce soir-là, ils avaient tous bien bavardé, bien ri, Bertobin avait même esquissé quelques pas de danse avec elle sous les applaudissements des autres. Et ce fut le point de départ d'un tas de plaisanteries et d'allusions les concernant.

« Quel beau couple !

- Ils sont faits l'un pour l'autre ! »

Alors que Mélody confuse baissait la tête, Bertobin lui, ne semblait prêter aucune attention aux insinuations de ses amis.

Bertobin était physiquement un homme comme Mélody rêvait d'avoir. Un beau nègre à la peau bien noire et lisse aux beaux traits virils, à l'allure fière. Un homme grand et

_____
(2) Enlever les cases.
(3) Soda, limonade.

fort comme devait être son père Congo. Depuis qu'elle l'avait rencontré chez Cilote, elle attendait le jour où il lui dirait quelque chose, lui parlerait de leur avenir et lui dirait qu'il l'aimait. Les jours et les années passaient et Mélody restait avec son rêve. Son rêve au cœur. Et le silence de Bertobin.

Bertobin l'avait accompagnée plusieurs fois au bal avec Cilote, Bégonia, Mirette, Célia, Evenore. Mais jamais il ne lui avait parlé, jamais il ne lui avait fait une proposition... Il aimait bien danser avec elle et disait qu'elle était aussi légère qu'une plume, qu'elle dansait mieux que les autres filles. Rien de plus. Il semblait la considérer seulement comme une petite sœur et essayait de l'aider, la sachant orpheline et sans personne pour lui rendre service.

Pourtant Mélody était courtisée par presque tous les clients de la boutique. On ne pouvait, il est vrai, la connaître, la regarder sans avoir envie de lui dire un p'tit mot doux.

Il y avait surtout le maître-pelle de la boulangerie du quartier toujours habillé de blanc, avec des ensembles faits de toile de sac à farine blanchi, et chaussé d'éternels tennis toujours impeccablement blanchis au blanc d'espagne. Mélody l'appelait « Sira en blanc » et se moquait de ses yeux doux... Coquette, elle riait et batifolait avec tous, donnait à chacun une blague, disant même à certains qu'elle était déjà mariée, à d'autres qu'elle avait plusieurs enfants, une famille nombreuse. Un peu folâtre, elle s'amusait de la naïveté des hommes qui se croyaient par ailleurs si forts, et se souvenant de Ronmanoël, son premier soupirant pointois, si crédule et à qui elle avait monté un bateau de taille, elle se disait en souriant : « Un docker pourtant habitué au bateau ! Il n'y a vu que du bleu ! »

Elle s'était renseignée sur lui auprès de Bégonia et de ses amis dockers et avait appris qu'il était parti lot coté d'lô (4).

_____

(4) Derrière l'océan (en France, à l'étranger).

C'était là son grand rêve. Il n'avait pu avoir son Certificat d'études des adultes n'ayant en tête qu'un seul but ; partir en France, avait alors pensé Mélody.

Il y avait cependant deux hommes auxquels elle n'avait pu mentir et monter une de ses petites histoires cousues de fil blanc. C'était Bertobin, l'homme de ses vœux et de son cœur et Ornésiphore un jeune pêcheur qui logeait dans l'autre pièce de la maison qu'elle louait maintenant au faubourg Henri IV. Ce dernier avait sur elle un attrait indéfinissable, une sorte de charme étrange... Elle ne comprenait pas et se demandait : « Peut-on aimer deux hommes à la fois ? »

Mélody s'interrogeait, se scrutait, et tout en priant pour que Bertobin se déclare, elle ne voulait rien dire ni faire pour décourager Ornésiphore qui de plus en plus, essayait de se rapprocher d'elle. Il lui offrait du poisson tout nettoyé, quelquefois même déjà bien assaisonné.

« Je sais que tu rentres tard et que tu n'as pas le temps pour aller acheter du poisson.

- Merci, voisin, disait Mélody, sans toi je ne mangerais jamais du poisson, avec l'affluence qu'il y a devant les marchandes de poisson. »

Des fois, il lui offrait une petite langouste, quelques belles palourdes ou lui faisait rôtir un coffre (5) qu'elle aimait tant. Il lui apprenait à nettoyer et à préparer lambis (6), chatous (7).

Ornésiphore vivait seul depuis que ses parents prévoyant le décasement (8) avaient construit une petite maison et étaient partis vivre à la campagne ; lui, il était resté à la Pointe à cause de son travail. Le jeune homme adorait la mer et avait été apprenti-matelot dès l'âge de quatorze ans avec un vieux marin-pêcheur qui, malade et paralysé, dans

---

(5) Poisson avec une carapace dure.
(6) Mollusque marin.
(7) Pieuvre, poulpe.
(8) Déplacement des cases.

l'impossibilité de reprendre la mer, l'avait fait venir un jour et lui avait dit :

« O'phore, je vois que tu aimes la mer, je te connais, tu es sérieux, je te vends mon bateau, je te le vends, va, prends la mer, mon garçon, et gagne ta vie.

- Je n'ai pas d'argent, avait-il répondu, ému.

- Je te le donne à crédit, tu me paieras comme tu pourras. »

Ornésiphore avait donc pris le bateau et avec les conseils de celui qu'il considérait toujours comme son patron et son guide, il avait pris la mer. C'est ainsi que chaque mois, il donnait une certaine somme au malade pour lui permettre de manger et de se soigner. Il pêchait clandestinement, ne pouvant encore se payer son enrôlement.

Ornésiphore comptait très mal et se faisait toujours avoir par les ménagères fûtées et les marchandes encore plus rusées. Il s'en plaignait à Mélody qui l'aidait à compter l'argent de la vente et qui s'était mise à lui conseiller tout naturellement :

« Avant de vendre, voisin, il faut d'abord peser toute la pêche pour savoir le nombre de kilos. Tu me le diras et alors en comptant l'argent, on pourrait savoir si les marchandes t'ont kouyonné (9) ou pas. »

Un certaine familiarité naissait insidieusement entre eux. Le dimanche, lorsque Mélody faisait sa lessive, elle lui hélait à travers la cloison :

« Voisin, tu n'as pas de linge à laver ? »

Il avait longtemps balancé avant de lui donner son linge à laver, et un beau jour il lui demanda :

« Voisine, combien tu me prendrais pour me faire la lessive chaque semaine ?

- Apporte toujours et on verra après, avait répondu Mélody. »

Cependant, Mélody continuait à rêver chaque nuit de Bertobin. C'était lui qui était dans la pièce à côté, c'était lui qui lui portait son poisson, elle lui comptait l'argent de

---

(9) Trompé.

sa paye et lui faisait sa lessive. La nuit c'était donc Bertobin qui régnait sur ses rêves. Pendant la journée, et à la boutique, c'était d'Ornésiphore qu'elle parlait, lorsque pour faire croire qu'elle était en famille à ceux qui lui tournaient autour, elle remémorait les propos et les attentions de son voisin.

Mélody se sentait comme prise au filet d'un dilemme qui devenait de plus en plus obsédant et se demandait comment s'en sortir. Et dans ce songe qui remplissait d'angoisse ses nuits de solitude, c'était tantôt son père, tantôt Bertobin maintenant qui la délivrait de l'araignée meurtrière... Elle redevenait sombre et taciturne.

Un samedi soir, le crépuscule était en train de jeter doucement un voile bleuâtre qui assombrissait très tôt le ciel des faubourgs. Un ciel de novembre. Les chauves-souris avaient commencé leurs rondes d'aveugle au dessus des toits de tôle rouillée par les embruns. Quelques étoiles çà et là, commençaient à scintiller toutes pâlotes au haut du ciel d'un gris cendré. La chaleur restait toujours accablante malgré l'hivernage avancé. Comme chaque soir à cette même heure, des nuées de moustiques passaient dans l'air, poussés par la petite brise crépusculaire. Chacun essayait de prendre un peu l'air, assis sur le seuil de sa porte. Ornésiphore, dont la chambre était sur la cour, était venu lui aussi, s'asseoir au bord du trottoir, devant le seuil de Mélody, pour trouver un peu d'air et prendre le frais. Une touffeur nauséabonde venait de la rue et montait du caniveau. Au loin, un couchant encore rougeoyant, illuminait le cimetière, mariant, à travers les charmilles des filaos, ses dernières lueurs à la rutilance des crotons garnissant les modestes tombes.

Mélody semblait fatiguée. Préoccupée, elle restait silencieuse. Elle pensait à ses vieux de Bonne-Espérance : le père Sonson, qu'une marchande lui avait dit être mal en point, Mabo Surprise qui était aussi très fatiguée. Et elle soupira profondément en pensant :

« Tout le monde s'en va lentement, et moi je reste de plus en plus seule au monde.

- Cœur qui soupire n'a pas ce qu'il désire, dit Ornésiphore tout doucement.

- Ah ! oui, voisin, on n'a pas toujours ce que l'on veut, répondit Mélody. Et elle ajouta promptement :

- J'aurais voulu avoir une famille, une mère, un père, des frères et des sœurs. »

Et elle se mit à parler, laissant son cœur s'épancher librement. Sans rien inventer pour une fois, elle raconta sa vie à Bonne-Espérance, sa mère morte, son père qu'elle espérait un jour retrouver, son abandon par Murat, sa petite Aimely morte au « Lait amer », le désespoir qu'elle avait connu. Elle lui confia comment elle se sentait encore coupable de la mort de sa petite fille. Elle lui dit ce soir-là toute sa peine, son chagrin, ses espoirs et aussi ce qu'elle aime.

« J'aime chanter, rire et danser. Lorsque j'étais petite fille, je voulais être chanteuse, avoua Mélody. »

Et elle raconta la joie qu'elle avait éprouvée en chantant au bal du Sou des ménagères (10) où elle avait accompagné son amie Cilote qui avait demandé à Emilien, le chef d'orchestre, de la laisser chanter un ou deux morceaux, accompagnée par l'orchestre.

Elle parla de ce désir de s'instruire qui l'avait poussée à suivre les cours du soir et à obtenir son Certificat d'études, elle dit aussi son désir de créer une famille véritable, son espoir de sortir un jour du pétrin.

« Je suis contente d'avoir eu mon Certificat d'études, mais pour la famille et le reste, ce n'est pas pour demain, avait-elle dit tristement. »

Elle débordait de paroles longtemps contenues, de choses non dites, sans cesse refoulées. Alors elle les laissait sortir, chaudes et palpitantes, de son être meurtri. C'était la première fois qu'elle ressentait cette confiance qui la pous-

---

(10) Association de ménagères.

sait à dévoiler ses secrets les plus intimes à un homme. Et Ornésiphore, sans l'interrompre, l'écoutait intensément, comme pour la laisser prendre place au fond de lui, avec toute sa pureté et son légitime désir d'être écoutée pour être bien comprise.

Brusquement, elle s'interrompit, étonnée et presque honteuse de laisser ainsi épancher ses secrets.

Un silence s'installa et Mélody pensa en elle-même :

« Un ange passe, c'est peut-être ma petite Aimely !

Mais Ornésiphore rompit le silence.

- Puisque tu es seule, et moi je vis seul, là tout près de toi, pourquoi on n'essaierait pas de réunir nos deux solitudes en vivant ensemble. »

Mélody resta interdite de surprise et ne put rien répondre. Mais Ornésiphore continua :

- Depuis le premier jour que je t'ai vue, je t'ai appréciée et je pense à ce que je viens de te dire. Qu'en penses-tu voisine ? Que réponds-tu ma Mélo ?

Et Mélody comme dans un souffle fit, indécise :

- Je vais réfléchir, on verra…

Depuis cette nuit-là, Mélody avait pour ainsi dire perdu le peu de sommeil qui lui restait après son affreux cauchemar habituel. Elle passait des heures et des heures à peser le pour et le contre de la proposition d'Ornésiphore. Elle pensait qu'il lui fallait quelqu'un avec qui causer le soir en rentrant de la boutique, quelqu'un avec qui partager ses peines et ses espoirs. Et elle se disait : « Mais pourquoi n'est-ce pas Bertobin, ce jeune garçon qui vit derrière la mince cloison de planches, que j'entends marcher, ronfler et quelquefois même respirer. Pourquoi bon Dieu, n'est-ce pas Bertobin qui me tient longuement la main lorsque je lui dis bonjour, et me chatouille la paume en me déclarant :

- « Que tu es belle, voisine !

Ou encore :

- Ah ! voisine, tu es une fille du tonnerre de Dieu ! »

Il est vrai qu'Ornésiphore, attentionné, l'attirait et lui

était déjà presque intime. Il n'était pourtant pas son type d'homme. Il ne ressemblait ni à Bertobin, ni à l'image qu'elle s'était faite de son père Congo.

Elle se sentait désemparée et se disait toujours : « Ah ! Mon Dieu, on n'a jamais ce qu'on désire. »

Bertobin travaillait à l'usine Bardroussié et passait chaque jour prendre son pain et sa morue frite à la boutique. Chaque fois, le cœur de Mélody se mettait à cogner dans sa poitrine, comme affolé, lui faisant presque perdre le souffle. Elle donnerait une bonne partie de sa vie pour l'entendre lui dire autre chose que son banal :

- Comment ça va Manzê Mélody ?

Un matin, il était déjà parti, son gros sandwich enveloppé dans un papier suant la graisse de la morue frite, lorsqu'il revint sur ses pas.

Le cœur de Mélody s'était mis à battre la chamade et les yeux grands ouverts, les narines palpitantes, elle le regardait venir, presque paralysée dans l'attente.

- Pourquoi est-il retourné, est-ce qu'il a quelque chose d'important à me dire, s'est-il enfin décidé ? se demandait Mélody, anxieuse.

- Manzê Mélody, j'avais oublié de te dire que tante Cilote t'a dit de passer cour Litin ce soir, il y a une conférence qui intéresse les gens des faubourgs.

- D'accord, souffla imperceptiblement Mélody qui s'assit pour respirer un grand coup et retrouver son souffle, alors que Bertobin avait déjà de nouveau enfourché sa bicyclette en direction du grand portail de l'usine.

Ce soir-là, avant de rentrer, Mélody se rendit à la conférence, elle profiterait après pour parler à Cilote de la proposition d'Ornésiphore et lui demander conseil dans l'embarras où elle se trouvait.

Elle pensait qu'elle n'avait plus rien à attendre de Bertobin et qu'elle devait se résigner à prendre une décision. Toute la journée, après le départ de Bertobin, elle avait analysé la situation et jugé les événements. Pour la première fois, un homme l'invitait à vivre avec lui, à former un noyau... N'est-ce pas ce qu'elle souhaitait entre tout ? Former son propre noyau familial. Plus elle y réfléchissait, plus elle sentait un certain contentement au fond d'elle-même, comme une certaine fierté. En même temps, elle sentait monter un sentiment de reconnaissance pour Ornésiphore qui avait, à l'inverse de Bertobin, entendu son secret appel au secours et lui avait tendu une planche pour la sauver du désespoir dans lequel elle se voyait couler tout doucement jour après jour.

Bien que plongée dans ses réflexions irrépressibles, au loin elle entendit une voix de micro et s'étonna que la conférence soit déjà commencée. Et en prêtant un peu plus d'attention, elle fit :

- Mais on dirait que je connais cette voix.

En effet, d'une voix ferme et convaincante, une femme disait, longuement applaudie :

- Nous ferons reculer la mer

Nous assécherons les marécages

Et nous ferons pousser des logements

Des parcs remplis d'hibiscus et d'oiseaux.

Alors Mélody reconnut la voix.

- Mais c'est Cicie, c'est sa voix, c'est elle, cria-t-elle.

Elle fonça dans la foule, elle voulait voir et entendre de près son amie. Elle rentra dans la maison de Cilote par le corridor, juste au moment où Cicie achevait son intervention. Elle tomba dans ses bras.

Elle écouta avec attention le reste de la conférence. On expliquait que la Municipalité devait procéder à une grande opération d'assainissement afin de construire des logements propres et convenables pour les habitants des faubourgs. Ce serait une grande première en Guadeloupe et dans toutes les Antilles.

Après la conférence, Cicie et son mari qui étaient restés bavarder un peu avec Cilote, parlèrent avec enthousiasme de la rénovation de la ville.

- Ce sera un événement historique dans la vie de notre pays, cette transformation de notre ville, disait Cicie.

- Ah ! fit Mélody, c'était sans doute cela que prévoyait père Sonson dans ses paraboles, tu t'en souviens Cicie ?

- Oui, fit Cicie, mais père Sonson doute de l'avenir. C'est parce qu'il vit trop avec le passé. Oui, il ne faut point renier le passé, mais il faut délier ses ailes pour monter vers l'avenir, et le progrès, ajouta-t-elle.

- Je te comprends, mais ce n'est pas facile, tout cela. Comment aller vers l'avenir, si on n'a pas d'aile à délier ?

- On peut, on peut. Toi par exemple, la Mélo, tu as commencé à aller de l'avant, il faut continuer à apprendre ; revenir souvent sur les mêmes choses sans arrêt comme on frappe sur un clou pour l'enfoncer.

- Et, oui ! ajouta Cilote, il faut aussi savoir attendre que les sapotilles mûrissent les uns après les autres, car ils ne mûrissent jamais tous ensemble.

- Tout cela pour te dire qu'il ne faut pas rester sur toi-même, la Mélo, il faut sortir comme ce soir, te mêler aux gens, participer... D'ailleurs cela te fait connaître des gens nouveaux et intéressants... A propos, et les amours ? ajouta Cicie en riant.

- Justement, je voulais demander conseil à Cilote. Voisin Ornésiphore m'a demandé de me mettre avec lui.

- Te mettre en ménage, pourquoi pas t'épouser ? s'exclama Cilote.

- Cela viendra peut-être après, mais Mélody est trop seule, si ce garçon est sérieux, s'il travaille, il faut voir, s'empressa de dire Cicie.

- Pour sérieux, c'est un p'tit jeune homme sérieux, pas feignant comme certains, et de bonne famille, je connais très bien ses parents, dit Cilote.

- C'est toi seule qui doit décider, avait conclu Cicie.

Cicie connaissait très bien sa petite amie Mélody. Elle connaissait le lot enchevêtré de contradictions qu'elle couvait depuis l'enfance. Elle se rappelait encore comment elle était désabusée après la naissance de son Aimely.

- Je suis tarée à seize ans, lui avait-elle dit un jour, je

ne trouverai personne pour me prendre avec un enfant « sans papa » dans les bras.

- Avoir un enfant, ce n'est pas la fin du monde. A seize ans, on a toute la vie devant soi pour repartir et recommencer, avait répondu Cicie.

Et c'est en se souvenant de cet état d'esprit de Mélody qu'elle l'exhorta à bien réfléchir avant de se décider.

Mélody se couchait et se levait harassée, après d'interminables heures de réflexions. Des heures sans fin. Des analyses continuelles. Puis soudain, elle se mit d'un coup à espérer à nouveau que Bertobin se prononcerait l'un de ses quatre matins.

Mais un dimanche après-midi, toutes ses espérances s'étaient évanouies plus vite que le vent.

Elle avait été rendre visite à Cilote et étant entrée par le couloir sans frapper, par inadvertance, elle avait manqué tomber à la renverse en voyant Mirette assise sur les genoux de Bertobin. Les deux étaient seuls, dans une position qui dévoilait leur idylle cachée. Mélody ne savait quoi faire. Entrer ou partir en courant. Elle se maîtrisa et dit faiblement comme dans un souffle :

- Je vous dérange, j'étais venue voir Cilote, je ne fais donc pas vieux os, puisqu'elle n'est pas là…

- Incroyable ! Bertobin avec Mirette, ma meilleure amie !

Elle ne sut comment elle arriva chez elle. Elle avait le vertige et ressentait une sensation d'étouffement pendant tout le trajet de la cour Litin au faubourg Henri IV. Arrivée chez elle, elle s'enferma dans sa chambre et s'étendit immobile sur son lit jusqu'à une heure avancée de la nuit. Vers une heure du matin, elle se leva, se déshabilla, enfin rassérénée. De l'autre côté de la cloison, Ornésiphore lui demanda :

- Qu'est-ce qu'il y a, tu es malade, Mélody ?

- Je suis seulement un peu patraque. Rien de grave, répondit-elle.

Le lendemain et les jours qui suivirent, tout en mâchant

intérieurement sa rancœur, elle répondit au bonjour banal de Bertobin, lui tendant son sandwich à la morue, sourire aux lèvres.

D'ailleurs, pour tous, elle faisait de gros efforts pour conserver sa bonne humeur et son sourire. Elle n'élevait jamais le ton. Jamais une parole malheureuse ou désobligeante pour rembarrer une cliente. Jamais un geste ou un signe de nervosité ou d'impatience.

Elle ne se reconnaissait pas. Même fourbue de fatigue, elle s'efforçait de sourire, de chantonner pour masquer son désarroi et son désenchantement.

De jour en jour, elle s'affermissait tout en gardant son amertume dans ses fins fonds les plus secrets, elle avait fini par se remettre au destin : « Sa ki pou ou, rivié pa ka chayé-i » (11), telle fut sa devise.

_____

(11) « Ce qui est pour toi, la rivière ne peut l'emporter. »

IX

Le soir venu, les ténèbres couvraient les faubourgs d'un voile d'inquiétude et d'effroi. La peur et la psychose de l'homme au bâton (1), les vols, les rixes à l'arme blanche augmentaient le désarroi des habitants. Une atmosphère d'insécurité s'était installée au fil des jours. Les faubourgs vivaient ses nuits dans l'anxiété et la crainte, mais l'angoisse était atténuée par l'espoir des changements promis par la nouvelle municipalité. Et derrière chacune des portes fermées dès la tombée de la nuit, chacun pensait aux nouveaux logements dans la cité nouvelle. Les promesses étaient en voie de confirmation. Le remblaiement du terrain marécageux de la gabarre entre la mer et la rivière salée, le cimetière et la route nationale n° 1, pour l'installation de la zone de transit, avançait et constituait une curiosité et surtout un sujet de réflexions plus ou moins rassurantes.

- C'est mauvais signe, on n'a pas idée de faire reculer ainsi la mer, disaient certains.

- Les temps changent... on fait trop de choses contre

_____
(1) Satyre.

nature, contre la volonté de Dieu. C'est la fin du monde qui approche, affirmaient les mystiques.

- C'est le progrès, répondaient les plus évolués.

On entendait encore d'autres propos, des doutes qu'on essayait de faire rentrer dans les esprits.

- Les maisons vont s'effondrer avant longtemps...

- Tôt ou tard la mer reviendra...

Des bruits incroyables circulaient. Paroles insidieuses et malignes. Chaque soir, profitant de l'obscurité, de gros bonnets, ceux-là mêmes qui avaient acquis pour une bouchée de pain certains terrains de la ville, ou qui en occupaient d'autres sans aucun titre et y avaient construit d'innombrables petites cases qu'ils louaient à des prix exhorbitants, menaient croisade contre la rénovation.

Dans toutes les ruelles et les cours des faubourgs ils se répandaient comme de sinistres oiseaux de proie nocturnes, jetant hargne, haine et insinuations mensongères contre les novateurs, exhortant les habitants des cases à ne pas déménager.

Le nouveau adjoint au maire tenait surtout à mener à bien la rénovation de cette partie de la ville qu'il considérait comme une véritable plaie qu'il fallait à tout prix cautériser. En fait, l'opération tiroir était du sur place fantastique et l'adjoint au maire disait :

- On peut construire des villes mortes mais il est exaltant et toujours plus rentable de construire la ville où elle vit.

Et dans toutes les réunions d'information, les membres de la nouvelle équipe municipale s'efforçaient de faire comprendre la nécessité d'assainir cette partie de la ville et de donner aux habitants de ces quartiers des logements sains et décents.

- C'est une question de dignité humaine, disaient-ils.

Et de plus en plus, les gens commençaient à s'intéresser à l'opération et Mélody comme bien d'autres femmes. Des femmes, rien que des femmes.

- Tu crois que cela ira vite ? Crois-tu qu'ils feront assez

de logements pour satisfaire tout le monde ? s'inquiétait Mélody auprès de Cicie.

- Avant cinq ans, on prévoit plus de deux mille logements, tu auras le tien, avait répondu son amie pour la rassurer.

Des dizaines de femmes avec Mélody, Célia, Violetta avaient accepté d'emblée l'idée d'une vie nouvelle dans une cité aux dimensions nouvelles et jusqu'ici inconnues dans ce milieu. Une cité en hauteur. Sortir au ras du sol et monter d'un coup dans les airs, posait certains problèmes. On se demandait comment on ferait pour mettre les cabanes à pipi (2) des enfants au soleil ; comment ferait-on pour mettre le linge à blanchir et le faire sécher, comment ferait-on pour jeter les ordures et pour élever poules et cochons ? Mélody se posait, elle aussi, quelques questions, mais elle se disait confiante :

- Il n'y a point de problème sans solution, on verra bien plus tard, pour l'instant, l'important c'est de sortir de la fange.

Changer de vie était devenu le slogan des centaines de femmes des faubourgs. Mélody, avec toutes ces femmes de condition plus que modeste, avait compris sans peine que cette rénovation de la ville, inscrite dans un cadre social, était dirigée avant tout pour les couches les plus défavorisées, donc, pour elles, pour leur permettre d'acquérir un peu plus de mieux-être et de confort. Elles le savaient et n'acceptaient pas les calomnies qu'on diffusait.

Des cohortes de prédicateurs très charitables continuaient à venir les unes après les autres expliquer à ces « pauvres malheureux » des faubourgs, que ces gens de la municipalité les trompaient et abusaient de leur crédulité, qu'ils n'avaient qu'un but, c'est de les exiler hors de la ville. Ils affirmaient sans rire que ces immeubles qu'on parlait de construire étaient destinés à des fonctionnaires, à

_____

(2) Literie mouillée d'urine.

l'armée française, aux C.R.S., à des Blancs venus de France et peut-être même de Moscou.

Ainsi, des jours, des semaines s'étaient écoulés cicatrisant lentement la peine de Mélody. Elle continuait à voir ses amies Mirette et Bégonia, parlait et plaisantait avec Bertobin comme si de rien n'était. Personne ne s'était doutée un instant de l'affliction qu'elle avait connue silencieusement. Dans la solitude et la dignité.

Elle n'avait d'ailleurs pas le temps de gémir et de pleurer sur son propre sort... Elle s'était trouvée des occupations qui l'accaparaient entièrement et la jetaient tout feu tout flamme dans le monde de ceux qui ont fini de rêver ou d'être simple spectateur. Le monde de l'action. Un monde nouveau pour elle. Cela avait commencé lorsque pour la deuxième fois, le grand président avait visité la Guadeloupe.

Un peu partout, les gens s'interrogeaient, désabusés :
- Quels cadeaux nous portera-t-il ?

Et Cilote ironique, toujours impayable, avait dit :
- Pourvu qu'il ne nous porte pas un cyclone comme la première fois.

La veille de cette visite, Mélody avait assisté à une réunion publique qui s'était tenue à deux pas de chez elle, à l'angle du boulevard Chanzy et de la rue Henri IV. Le tableau et les tracts y invitant portaient : « Contre le colonialisme, contre la répression, pour l'autonomie ». Mais on y avait surtout parlé des cadeaux empoisonnés du visiteur : le chômage, l'exil des jeunes par le BUMIDON et leur remplacement par des étrangers, l'abaissement du prix de la tonne de canne, la fermeture des usines les unes après les autres...

On avait expliqué pourquoi son Premier ministre Brede avait imposé le paiement de la canne à la richesse saccharine : son fils avait épousé une héritière des sucreries d'Outre-Mer.

Mélody croyait entendre parler père Sonson. Cicie lui avait dit :

- Il faut venir demain voir comment nous recevrons le grand président.

- Après tout ce qu'on vient de lui reprocher, on va le recevoir ?

- Viens, tu verras, avait ajouté Cicie avec un petit sourire en coin.

Mélody avait alors été sur la place de la Victoire car elle voulait voir cet homme que certains disaient si imposant et exceptionnel.

Il n'avait pas été facile pour Mélody de trouver Cicie et ses amies. La place était déjà pleine de monde, à son arrivée.

Aux portes de la ville, des autocars loués par Lu. Ne. Re., avaient débarqué très tôt des flopées de gens de toutes les communes qui se dirigeaient vers la place en mangeant à belles dents sandwiches et petits pâtés distribués à la descente des cars.

Lorsque le grand président monta à la tribune, Mélody avait été impressionnée de voir un tel homme. Un phénomène de la nature, pensait-elle en le regardant avec curiosité alors qu'il prenait la parole.

Dès ses premières phrases, des cris fusèrent scandant comme d'une seule poitrine : Au-to-no-mie ! Au-to-no-mie ! En même temps, dans la foule dense, debout bien en face de la tribune, des banderolles se déployaient, des pancartes se levaient. Des jeunes en un clin d'œil avaient enfilé des tee-shirts imprimés au dos et à la poitrine, du mot « Autonomie » et les femmes, nombreuses et coquettement mises, faisaient flotter au vent des petits foulards verts portant l'inscription : « Vive l'Autonomie ».

Alors le grand président aussi surpris que Mélody, elle-même, perdit la carte et invectiva les manifestants, les traitant de petit groupe ridicule pendant que la presse internationale qui le suivait enregistrait et photographiait l'événement.

Mélody s'était sentie frustrée. Elle aurait aimé déployer elle aussi un petit foulard vert au moins pour la canne qui mourait à Bonne-Espérance et ailleurs. Alors elle dit à Cicie avec un petit air de reproche :

- Tu aurais dû me donner aussi un petit foulard vert.

- Mais la Mélo, tu étais là en spectatrice, avait simplement répondu Cicie.

C'est à partir de ce jour que Mélody avait décidé de n'être plus jamais spectatrice. Elle s'était mise à fréquenter les réunions de femmes, elle assistait à des assemblées politiques avec Cilote, Bégonia et ses amis dockers, et surtout participait très activement aux réunions d'information sur la rénovation de la ville. Depuis la mort du père Ildephonse à Dino, elle s'était jurée de tout faire pour aider à cette rénovation. Elle entraînait Violetta, Célia et ses autres copines à ces réunions.

Elle y rencontrait souvent Cicie ou Monsieur Bruno, à l'une ou l'autre de ces réunions. Chacun à sa façon la félicitait et l'encourageait dans la voie qu'elle disait enfin avoir trouvée. Trouvée toute seule. Et c'était son orgueil.

Elle parlait de tout ce qu'elle découvrait à Ornésiphore qui l'écoutait à peine et ne semblait nullement intéressé par toutes les idées nouvelles de sa voisine. D'ailleurs, de plus en plus, il présentait un visage renfrogné et se montrait de mauvaise humeur. Mélody, très occupée par son travail et ses activités, ne se rendait même pas compte de la bouderie d'Ornésiphore. Elle rentrait, sortait en coup de vent, lui hélait un rapide bonjour, lui remettait un tract à la hâte, le taquinait en l'appelant réac. Elle faisait semblant d'oublier la proposition qu'il lui avait faite.

Un soir, excédé et las d'attendre un petit geste d'acquiescement de Mélody, Ornésiphore lui dit d'un ton rageur :

- Je ne peux plus supporter cette porte condamnée qui nous sépare, je n'en peux plus de t'entendre respirer la nuit de l'autre côté de la cloison, je n'en peux plus de rester sans toi.

Mélody se trouva sur le coup saisie par la véhémence de ses paroles. Puis elle le regarda profondément, essayant le cœur battant de lire la vérité dans ses yeux. Il y avait comme une quête dans ce regard transperçant de Mélody. Ornésiphore le comprit et lui dit :

- C'est vrai, je t'aime Mélody, je ne mens pas.

Alors qu'elle se détendait et que dans ses yeux brillaient de fines perles de larmes, il la prit par la taille et la maîtrisant il la serra si fort qu'elle sentit qu'elle manquait d'air. Alors il l'embrassa avidement, ivre de tant d'attente et d'un tourbillon de désirs contenus. Mélody mollit sous l'excitation qui montait et l'envahissait. Elle sentit comme un barrage qui se rompait à l'intérieur de sa tête et de son corps. Elle se laissa entraîner comme par un flot irrésistible et s'abandonna sans aucune résistance aux étreintes d'Ornésiphore. Elle se sentait transpercée et pénétrée intérieurement. Elle ferma les yeux et sentit une sorte de délivrance. C'était comme si un vent qui couvait au plus profond de son être s'était levé d'un coup et avait fait voler en éclats ses craintes et ses peurs. Alors, elle s'était mise à pleurer tout doucement. Elle ne savait pas pourquoi elle sanglotait. Etait-ce de satisfaction, ou de regret ? Approuvait-elle ou regrettait-elle cet abandon ? Elle savait qu'elle n'était pas capable de répondre à cet interrogatoire.

Ornésiphore se mit à la consoler par mille baisers et des caresses aux douceurs qu'elle n'avait jamais connues jusqu'ici. Elle le laissa faire, surprise elle-même de se sentir contente de recevoir cette tendresse, presque heureuse de découvrir ces nouveautés qui la submergeaient subitement, étonnée de l'excitation de ses propres sens et de ces nouvelles sensations que non seulement elle acceptait mais réclamait avec émoi. Elle se laissait donc transporter dans des sphères insoupçonnées. Elle se disait : Voilà le bonheur ! Bonjour, bonheur ! Et elle pensa soudain aux paroles de Surprise après la perte de Aimely. « Tu auras d'autres enfants, plein d'autres. La mère des hommes n'est pas morte. »

Elle se dit dans une sensation de joie et d'angoisse mélangées :

- Mon grand désir d'avoir une famille, des enfants, va peut-être se réaliser, je suis peut-être en train de commencer.

Et lorsque Ornésiphore la pénétra à nouveau, elle eut envie intensément d'être enceinte sur l'heure.

Cette première nuit qui commença sa nouvelle vie n'en finissait pas d'enivrements et de confusion, de méditation, d'angoisses et de joies. De joies pourtant incomplètes.

Le petit-jour trouva Mélody comme ébahie de tant d'émotions, de plaisirs et aussi de détermination. Un grand pas et le principal était franchi. Elle ne pouvait plus faire marche-arrière, il fallait maintenant affronter l'avenir et faire des projets. De beaux projets. Cependant, elle se sentit un peu plus maîtresse d'elle-même, lorsque, vers quatre heures du matin, Ornésiphore regagna sa chambre. Mais confusément elle souhaitait déjà la venue de la nuit prochaine. Adieu solitude.

Elle bâilla en s'étirant comme une chatte, se leva, fit son lit, vaqua à ses petites besognes matinales avant de partir à l'épicerie gagner sa journée.

Toute la journée, elle pensa à la tournure que venait de prendre sa vie jusqu'alors si terne et sans véritable attrait. Comme un film se déroulait sa vie. Le départ de son père. La mort de sa mère. Le reniement de Murat. La disparition de sa petite Aimely.

Mélody se projetait dans son passé toujours vivant et présent en elle. Elle croyait que c'était ce passé qui avait conditionné sa rencontre avec Ornésiphore. Il avait bien compris ses motivations, bien saisi son besoin de se faire attester, de se faire reconnaître et aussi celui de surmonter les puissances malignes qui la poursuivaient et la tourmentaient depuis son enfance, et contre lesquelles elle n'avait pas cessé, un seul instant, de se battre.

Mélody était étonnée de voir comment l'homme idéal auquel elle n'avait cessé de rêver s'était volatilisé et avait disparu devant un Ornésiphore tout à fait différent, mais un homme bien réel lui, avec un paquet d'attentions, de caresses insoupçonnées et peut-être d'amour.

Toute la journée, à la boutique, en regardant les autres hommes, en regardant Bertobin, elle s'avouait qu'aucun d'eux n'arriverait à faire renaître le tumulte qui l'avait étourdie la veille.

Et elle essayait d'analyser ce tumulte effarant qui, comme qui dirait un cyclone, avait fait tourner sa tête, cogner son cœur, sonner ses oreilles, humecter ses yeux et ramollir tout son corps. Son corps subitement liquéfié. Elle ne savait pas si elle était heureuse, mais elle savait qu'elle se sentait bien, et elle se disait : « Je ne sais quels sont les desseins et les véritables intentions de Ornésiphore, je ne sais pas pourquoi il m'a captée et ce qu'il veut de moi. Ce que je sais, c'est qu'il me fait du bien en ce moment. »

Si Mélody se posait des questions au sujet des intentions d'Ornésiphore, en ce qui la concerne elle, tout paraissait clair au fil de ses réflexions. Elle savait qu'elle ne pouvait plus être seule, qu'elle voulait intensément avoir une famille, des enfants et le destin avait décidé que ce serait Ornésiphore qui serait à ses côtés. Mais elle avait fait connaissance avec un quelque chose d'elle-même, qu'elle ignorait jusqu'alors. Cette joie, ce plaisir éprouvés sous les caresses d'un homme. Une révélation. Elle avait cru bien sincèrement que son seul désir était de fonder sa famille, son foyer, d'avoir des enfants. Mais ne voilà-t-il pas que surgissait un autre désir tapi dans l'ombre, au fond d'elle, et qui, tout d'un coup, l'avait fait vibrer de tout son être, dans un vacillement d'émoi.

« Est-ce cela l'amour ? » se demandait-elle en essayant de comprendre comment elle était arrivée à se donner si librement, si facilement et avec tant d'élans à Ornésiphore.

Mais elle se sentait prête à assumer ce nouvel état et tout cet émoi subitement éclos et s'avouait à elle-même : « Si c'est ça l'amour, et bien ! j'aime l'amour... »

Dès le lendemain, Ornésiphore avait donc ouvert la porte de communication condamnée, et Mélody se sentit tout de suite plus à l'aise comme si elle respirait mieux, une fois installée dans les deux pièces de la case. Elle avait tant souhaité au temps où elle rêvait de reprendre sa petite Aimely d'avoir un logement avec la salle et la chambre à coucher. Deux pyès-kaz (3). Elle pensait : « Ce n'est pas trop injuste que cet enfant ne soit pas là maintenant que j'ai cette case que j'avais tant rêvé d'avoir pour elle. »

Petit à petit, ils avaient augmenté le mobilier. Ils avaient acheté une paire de chaises médaillon, un petit buffet vitré pour la vaisselle, et Cilote leur avait fait faire une affaire en les faisant acheter en rencontre, à Soso, une de ses amies, une petite armoire en mahogany, un peu usagée certes, mais très jolie et encore robuste.

Mélody l'avait fait rentrer avec son lit dans la chambre d'Ornésiphore qui était devenue leur chambre à coucher. Et elle avait fait passer le petit lit pliant de Ornésiphore dans la salle où elle l'installa contre la cloison comme un divan avec une couverture et des coussins de cretonne fleurie aux couleurs chaudes et gaies. Elle mit un beau tapis ciré imprimé de fleurs et de fruits sur sa grosse table de bois blanc, disposa agréablement ses quatre chaises et arrangea sa case avec autant de goût que de plaisir, regrettant seulement d'avoir à déménager dans quelques temps pour la zone de transit. Mais vite elle se consola en se disant :

- Mais demain, après, j'aurai mieux, car j'aspire encore à mieux. De mieux en mieux.

Ils vivaient donc ensemble depuis plusieurs mois, comme l'avait voulu Ornésiphore. Et ils s'attachaient l'un à l'autre. Mélody se sentait bien, à côté de cet homme qui s'occupait de la maison, préparait le repas pendant qu'elle travaillait, avait à son égard mille petites attentions et gentillesses. Mais malgré tout, elle ne se sentait pas prise en charge. Elle ne cherchait pas à l'être d'ailleurs.

Lorsqu'elle rentrait du travail le soir, Ornésiphore

_____
(3) Pièces d'une case.

l'attendait pour partir à la pêche de nuit. C'était pour elle le seul point noir, ce travail de nuit, trois fois par semaine : les mardis, jeudis et dimanches.

Ces nuits paraissaient affreusement vides et longues à Mélody. Elle avait du mal à s'endormir lorsque le temps s'avérait mauvais. Elle avait peur pour Ornésiphore. Elle redoutait la mer qu'elle considérait même pas comme une rivale, mais comme une ennemie, un danger à son bonheur, à la quiétude qu'elle avait trouvée avec Ornésiphore. Lorsqu'il la quittait à la nuit tombante, elle ne le retrouvait que le lendemain soir. Près de vingt-quatre heures après. Des fois, il venait à sa rencontre à la fermeture de la boutique. Ces jours-là, ils faisaient ensemble un p'tit tour sur la place de la Victoire ou bien s'asseyaient côte à côte sur un banc au frais du gros sablier face à la mer, pour respirer l'air marin venant de la Darse. Ensuite ils rentraient dans leur case, heureux de se retrouver, heureux d'être ensemble après vingt-quatre heures de séparation.

Pour Mélody, les nuits d'amour succédant aux nuits de pêche étaient comme un exorcisme contre le danger, la célébration d'une victoire sur la mer, manman d'lo (4) et leurs maléfices.

Maintenant, elle riait plus souvent, chantait volontiers, cherchait à s'amuser et à se distraire. Elle voulait happer un peu de bonheur, de joie et de quiétude.

Le samedi soir, ils allaient au cinéma, ou allaient danser soit au bal des cuisinières avec Cilote et Célia au palais de la Mutualité, soit au bal de Madras au Bas du Fort avec Cicie et ses amies. Ils fréquentaient aussi les soirées lewoz que Mélody avait retrouvées avec joie à Dino. Ces soirées lewoz lui rappelaient les samedis de quinzaine à Bonne-Espérance avec les bamboulas réputés de Berthilie. Là, elle s'adonnait à cœur joie à la danse, bien qu'elle n'appréciât pas du tout le sens des lewoz en ville.

_____

(4) La sirène.

- Ici en ville, les lewoz se font dans un but commercial... Ce n'est pas du tout leur vrai sens, disait-elle.

Et elle expliquait, pleine de verve, à Ornésiphore :

- Pour moi, une soirée lewoz doit être une réunion sacramentale. C'est comme une grande messe où tous ceux qui participent, communient dans une même pensée, un même espoir et communiquent entre eux librement avec les paroles brèves et saccadées des chansons improvisées sur place d'ailleurs...

Mélody aimait danser le lewoz dans cet esprit, comme lui avait appris Mabo Surprise, comme on le dansait sur l'habitation. Elle piquait alors dans sa ceinture un bout de sa robe de coton fleuri aux chaudes couleurs et la tête légèrement renversée en arrière, le buste bien droit et immobile, donnait d'abord le pas au marqueur et puis évoluait avec grâce et souplesse. Elle semblait extasiée et si légère qu'on aurait dit que ses pieds ne touchaient pas terre et qu'elle allait prendre son vol.

Tous les yeux étaient fixés sur cette jeune fille si jeune et qui dansait si bien le lewoz.

Ornésiphore béat, toujours surpris de la voir si exaltée et enjouée, ne cessait de l'admirer avec une certaine fierté.

Et lorsque Mélody, trépidante, marquait la cadence de ses reins et de ses hanches mouvants qui s'ébranlaient en suivant la modulation du rythme, Ornésiphore sentait battre son sang dans ses veines.

Mélody se laissait un peu vivre au gré du caractère insouciant d'Ornésiphore. Lui n'avait pas été malmené par la vie et ne connaissait aucun des problèmes vécus par Mélody. Il ne s'en faisait donc de rien. Il travaillait, il était content, la mer, c'était sa passion, c'était dur mais il aimait ce qu'il faisait et c'était suffisant. Il avait peu ou pas du tout d'ambition et ne faisait pas de rêves. Lorsque Mélody lui parlait de leur vie, de l'avenir de leur foyer, il répondait simplement :

- C'est toi la Mélo, tu fais ce que tu veux, tu arranges

tout comme tu veux, c'est toi vraiment la maîtresse de ma vie et de la maison.

C'est elle qui tenait les comptes d'Ornésiphore. Après chaque pêche, il lui remettait tout l'argent de la vente. Elle notait chaque vente sur un carnet, comptait l'argent qu'elle répartissait dans plusieurs enveloppes. L'idée des enveloppes venait de Cicie. Il y avait une enveloppe : paiement du canot, une autre : enrôlement, une troisième : loyer, nourriture, ménage et enfin une enveloppe : bébé, baptême, oui... Au comble de la joie, bébé, baptême... Après de longs mois d'attente et d'espérance vaine, Mélody s'était trouvée enceinte. On ne pouvait pas dire que cette grossesse n'était pas désirée. Dès ce premier soir où ils s'étaient aimés avec tant de force et d'élan, elle avait voulu intensément être tout de suite enceinte.

Alors la vie s'écoulait tranquillement et jour après jour, elle apportait une sorte de sérénité qui lui donnait une beauté rayonnante dans la rondeur de sa grossesse.

Elle continuait son travail à la boutique et aussi ses activités extra-professionnelles. Il y eu de nouvelles élections et elle se fit un devoir de suivre toutes les réunions et conférences de la nouvelle liste du Rassemblement démocratique qui avait opté pour la rénovation de la ville. Mais de plus en plus, elle donnait une dimension nouvelle à ses activités. Elle parlait à la boutique avec les autres femmes de la trahison de Ticator. Il faut sanctionner les traîtres. Elle leur exposait les problèmes du quartier et de la vie, de la canne qui périclite, des usines qui se ferment et essayaient de les motiver et de les entraîner, en leur expliquant que les grands changements de la vie et de la société ne peuvent arriver sans lutte.

- La vie, c'est une lutte. On n'a rien sans lutte, disait-elle.

Et elle ajoutait :

- Mais tous ces changements ce sont les hommes et les femmes du pays, ensemble, côte à côte qui pourront les obtenir.

Elle voulait aller justement côte à côte avec Ornésiphore et regrettait son manque d'intérêt à la chose publique, son refus, par exemple, d'aller voter. Elle s'en voulait de n'avoir pas su le convaincre. Mais elle espérait l'entraîner peu à peu dans ses activités.

En attendant, elle essayait de jouir le plus possible de l'embellie survenue à l'improviste dans sa vie.

X

Mélody se trouva un jour face à face avec son ancienne amie Elzéa. Des jours et des jours qu'elles ne s'étaient rencontrées. En la voyant, Mélody eut un sincère élan de joie, et, songeant à leur enfance à Bonne-Espérance, elle pensa :

- Et dire qu'elle aurait pu être la marraine de l'enfant que je porte.

Mais Elzéa ne l'accueillit pas avec le même sentiment. Elle s'était appliquée tout de suite à la sermonner vertement, indignée de constater son état de grossesse.

- On m'a dit que tu t'es mise en ménage avec un espèce de baussal sans le sou. Ménage pour ménage, on choisit une grosse tête, un Blanc peut-être ou un fonctionnaire, un homme qui peut donner quelque chose ou aider à monter dans la société.

- Jolie mentalité ! lui avait simplement répondu Mélody avec une moue de dédain qui en disait long.

- Il n'est pas question de mentalité, mais d'une autre conception que toi des choses de la vie. Moi, je veux évoluer, et évoluer c'est d'abord me marier, et s'il te plaît, pas avec un propre-à-rien, mais avec quelqu'un qui puisse me faire asseoir à la maison pour élever mes enfants, avait répliqué d'un trait Elzéa, avant de quitter son amie sans même lui dire au revoir.

Lorsque Mélody raconta cette conversation à Célia, cette dernière avait dit tristement :

– Elzéa a une passoire comme mémoire. Elle a déjà oublié que son père, pourtant fonctionnaire, n'avait rien donné à sa mère Erzulie qui disait souvent en parlant de ses trois filles :

– Ce sont les enfants de la nécessité et non de l'amour. Je cherchais du pain, j'ai rapporté de la viande.

Et lorsque Erzulie était devenue percluse, c'était le frère aîné Eric appelé « Ti sapoti » qui, alors qu'il n'avait que douze ans avait pris en charge sa mère et ses trois petites sœurs. Il vendait des crabes et se débrouillait comme il pouvait pendant l'hivernage, et pendant la récolte il se jetait dans les pièces de cannes avec une virtuosité précoce afin de rapporter un peu d'argent au foyer.

Célia qui connaissait très bien tout cela pouvait aisément dire que Elzéa n'avait rien reçu de son père, pourtant « gros » fonctionnaire. C'est seulement lorsqu'elle avait voulu descendre travailler à la Pointe, que Elzéa avait eu l'idée d'écrire à ce père pour qu'il lui cherche du travail. Instituteur alors à la Pointe, grâce à ses relations dans ce qu'il appelait la bonne société, il lui avait trouvé une place de vendeuse aux Vitrines Parisiennes. Ne pouvant la prendre dans son foyer car sa femme s'était férocement opposée à recueillir cette graine de bâtarde, le père l'avait mise en pension en pleine ville, chez une certaine dame Biskra très en vue dans le milieu mondain. Dès le début, n'appréciant pas que Elzéa aille traîner dans les faubourgs, le père lui avait fortement conseillé, sinon de supprimer, du moins d'espacer ses visites à ses anciennes amies de Bonne-Espérance.

La dame Biskra avait alors pris Elzéa en mains. Elle l'avait en premier lieu fait entrer dans la Confrérie des Enfants de Marie. Privilège pour toute p'tite jeune fille bien. Elle l'avait conseillée pour ses toilettes, sa tenue, sa

147

démarche et sa nouvelle façon de parler avec des fioritures dans la voix et le ton, ce qui amusait tant ses amies des faubourgs.

Elzéa était devenue très vite la danseuse vedette du groupe folklorique que patronnait sa marraine, car Mme Biskra avait exigé qu'elle l'appelât marraine.

Il faut dire qu'à Bonne-Espérance, dès que les enfants pouvaient tenir debout sur leurs petites jambes frêles, ils se mettaient à se trémousser et apprenaient à danser avec les plus grands toutes ces danses des anciens esclaves des habitations : toumblak, kalennda, roule mindé, grajé et le sublime lewoz (1). Petites filles, Elzéa, Célia, Mélody, Evenore ne pouvaient rester insensibles aux rythmes du gwo-ka (2) et se mettaient à frétiller aux sons, mêmes lointains, d'un gwo-ka jetant son message au-delà des mornes boisés des habitations. Et de voir ces p'tits bouts de fillettes danser avec un brio étourdissant de grandes vedettes, on disait amusé :

- C'est dans leur sang le gwo-ka !

Elles connaissaient les pas qu'il fallait donner au marqueur (3) pour chaque danse. Et soutenant admirablement la cadence, elles savaient sur quels sons il fallait marquer la reprise imposée par les tamboyé (4).

Ces fillettes, sans retenue ni fausse pudeur, réussissaient mieux que beaucoup d'adultes à faire danser leur ventre en tous sens, au rythme des tambours dans un toumblak trépidant de joie et de frénésie.

Les pas de grajé ou de toumblak n'avaient aucun secret pour elles. Et bien que ces deux danses se ressemblassent, elles savaient bien que pour le grajé il n'y avait que trois reprises et que si le rythme se faisait plus rapide et plus brusque, il s'agissait d'un toumblak.

Il leur était interdit de danser le kalennda. Il leur était

----

(1) Danses anciennes venant des anciens esclaves.
(2) Tambour d'origine africaine.
(3) Batteur, joueur spécial de tambour.
(4) Batteur, joueur spécial de tambour.

permis seulement de faire la ronde autour du couple qui dansait, et de marquer la mesure avec des battements de main et de répondre en chœur aux chanteurs. Cependant, elles dansaient le kalennda à la perfection... Elles se cachaient derrière les cases ou derrière les fourrés et faisaient onduler dans une cadence effrénée leurs petites hanches en imitant d'une manière lascive les aînées, et en tenant avec une grâce naturelle les deux côtés de leurs petites robes trop étroites.

Avec de telles dispositions, rien d'étonnant que Elzéa soit devenue très vite la première danseuse du groupe.

Elle avait présenté Bégonia, la reine chonon du gwo-ka à sa marraine, lorsque cette dernière avait voulu monter ses ballets folkloriques. Bégonia conseillait sur les tenues des danseuses, expliquait comment piquer la robe à corps, comment nouer le mouchoir de tête en madras et coucher le foulard. Surtout, elle mettait tous ses efforts et sa patience à apprendre à tous : danseuses et danseurs et même à la présidente, les figures véritables et les pas de ces danses anciennes. Bégonia s'était révélée une maîtresse émérite et dame Biskra ne pouvait se passer de son art et de ses conseils. Bégonia se sentait utile et était fière de pouvoir transmettre à la génération montante toutes les connaissances et les richesses de ces danses qu'elle avait puisées de leur terroir naturel : l'habitation.

- Il faut un ressourcement de l'art de nos ancêtres, disait-elle à l'instar du père Sonson.

Elle avait fait rentrer sa fille Mirette dans le groupe qu'elle rêvait de truffer de ces véritables petits diamants que sont Mélody, Célia, Evenore, ces petites danseuses naturelles de Bonne-Espérance. Pour Bégonia, elles avaient meilleure allure que ces jeunes filles bourgeoises, guindées et raides comme des piquets, qui formaient le groupe de ballet.

- Elles remuent leur croupion mais ne savent pas vraiment ce qui s'appelle danser. Elles ignorent les pas, et il leur manque aussi des ailes. Ah ! Ah ! les fameuses ailes de naissance, bougonnait Bégonia.

On peut dire que c'était Bégonia qui avait fait partir du bon pied le groupe et avait donné une légère nuance d'authenticité aux danses qu'on y exécutait. Tout alla pour le mieux, jusqu'au moment des élections.

- Dimanche prochain on vote. Ecoute bien, c'est pour monsieur Zambo que tu dois voter, lui avait dit dame Biskra quelques jours avant les élections.

Bégonia lui avait tout simplement répondu :

- Missié Zambo ? Présidente, c'est pas mon homme !

- Comment ça ? Tu sais, Bégonia, où le riz gonfle le plus, c'est là que tu dois te trouver, reprit dame Briska.

- Tu as sans doute raison, Présidente, mais moi, je ne change pas mon fusil d'épaule, répondit Bégonia presque sur le ton de la plaisanterie.

- Je ne comprends pas tes plaisanteries, mais arrange-toi comme tu veux, c'est pour Monsieur Zambo que tu dois voter. D'ailleurs, voilà ce qu'il m'a donné à te remettre, ajouta la dame en tendant à Bégonia un billet de cent francs.

Bégonia prit le billet que lui tendait la Présidente et, très calme, le déchira en miettes avec de petits gestes lents et saccadés, tout en disant d'un ton grave et triste, frôlant les larmes :

- Ah ! Présidente, tu ne peux pas comprendre combien tu m'as blessée, tu m'as fait de la peine même !...

Et le dimanche, Bégonia avait voté bulletin grand ouvert pour le candidat de la liste du Rassemblement démocratique.

La Présidente qui était dans la salle et qui la surveillait, faillit tomber raide de saisissement. Lorsqu'elle reprit ses sens, elle s'avança vers Bégonia en lui criant :

- Ingrate ! Trahison ! Ne mettez plus les pieds sur le seuil de ma porte.

Alors, pour que toutes ces grosses têtes : Blancs, Nègres

ou Mulâtres qui étaient présentes dans la salle de vote puissent comprendre, Bégonia répondit en français :

- Présidente, je n'ai jamais porté mon assiette chez vous, aux heures du repas, donc je vous défends de m'appeler ingrate. Je ne vous dois absolument rien. Et puis, laissez-moi vous dire, je ne suis pas votre sujet, je vote pour qui je veux, je suis libre. Et la morale alors !

Puis elle ajouta d'un ton canaille en créole :

- E pi ay chié pou ou, Man Biskra. Moun pa ka achté mwen ! (5).

Et elle partit les deux mains sur les côtés, traînant les pieds, dodelinant des hanches d'une façon provocante. Son dernier propos en quittant la salle fut jeté une fois en français à la face de tous, et en levant le poing serré :

- Je suis une travailleuse, une femme dokerze (6) et cela, red o marto (7).

Depuis, Elzéa n'était plus revenue à la cour latman où elle venait déjà très rarement, et ne fréquentait plus ses amies, ces petites négresses bitazion (8) comme elle les appelait avec mépris. De temps en temps, on l'apercevait en ville. Mais elle prenait toujours une attitude hautaine et supérieure. Lorsqu'elle était avec ses nouveaux amis de la haute, si elle daignait les reconnaître ou les voir et leur adresser la parole, c'était pour essayer de les épater ou de leur reprocher leurs conditions d'existence et leur milieu.

- J'ai tourné le dos à ce milieu, à la boue et à la fange. Je veux avoir une vie convenable et être quelqu'un de respectable, avait-elle dit un jour à Célia au cours d'une brève rencontre sur la place de la Victoire.

- Pourtant rien n'effacera que tu sois née et que aies été élevée comme nous toutes sur la même habitation, lui avait jeté Célia, outrée.

---

(5) Et puis, va te faire foutre, Madame Biskra, on ne m'achète pas, moi !
(6) Docker.
(7) Expression révolutionnaire, de lutte inventée par le PCG.
(8) Campagnarde, fruste.

- Ma naissance et ma vie sur l'habitation étaient acci-
dentelles. Tout cela est derrière moi. C'est une période que
j'ai rayée de ma vie et que je veux oublier. Je ne veux plus
en parler, avait répondu froidement Elzéa.

Bien longtemps après, Célia n'en revenait toujours pas
du raisonnement de Elzéa, et avec Mirette, Evenore et
Mélody, il leur arrivait souvent de commenter avec tristesse
l'attitude de leur ancienne amie. Et Célia se demandait
toujours :

- Elle renie donc son frère, Ti sapoti, et ses deux petites
sœurs restées dans la misère à Bonne-Espérance ?

- Cette fille-là renierait même sa mère Erzulie si elle
vivait encore, aimait dire Mirette.

- Elle a honte de ses parents, elle ne va jamais les voir,
elle ne leur écrit pas, ils ne savent même pas son adresse
pour l'avertir en cas de malheur, affirmait Célia.

Mélody s'interrogeait avec une grande amertume :

- Je me demande comment on peut renier ses origines,
sa classe, sa famille. C'est triste un tel gâchis !

Et elle ne pouvait pas s'empêcher de comparer Elzéa
avec Célia si affectueuse, si bonne pour ses parents. Son
attachement et son dévouement aux siens étaient inégala-
bles et surprenants. Célia au début de son arrivée à la
Pointe avait été bonne d'enfants. Une petite da (9) gentille, vive et amusante. Elle adorait les enfants dont elle
avait la charge de la garde et de l'entretien. Elle était
restée bien huit années dans la même famille, et les enfants
devenus grands continuaient malgré son départ de leur
maison, à venir voir leur mabo (10) Lia, à l'affectionner et
à lui porter des étrennes au premier de l'an.

Depuis, Célia était devenue cuisinière. Cordon bleu
réputé dans un caboulot sur le canal. Elle aimait faire la
cuisine et excellait dans toutes les spécialités de la bonne
cuisine créole. Elle habitait dans une minuscule chambre au

_____

(9) Bonne d'enfants, nurse.
(10) Diminutif de : « Ma bonne ».

fond de la rue Ticaca. Un de coins les plus insalubres des faubourgs. Seulement, elle avait la chance d'avoir une petite cour. Pas plus grande qu'une main. Célia était une fille de la terre et elle aimait planter. Dans sa courette elle avait mis en terre un pied d'igname et un plant de madère noir. Une année, elle récolta une igname qui pesait plus de dix kilos et mesurait soixante-quinze centimètres. Un phénomène de la nature. Célia appelait sa touffe de madère : madère immortel car depuis cinq années, elle poussait, croissait et se multipliait toujours, de plus en plus. Chaque fois qu'elle fouillait les racines, elle récoltait presque un panier rond rempli de beaux madères bien secs et très farineux. Elle en offrait à ses amis, tous friands d'un bon plat de madères. Madère et morue à l'oignon et huile.

Célia affirmait avec assurance qu'il n'y a pas meilleure terre à madère et à igname que la terre pointoise.

« Terre sale mais féconde et productive. »

La petite chambre de Célia était plus encombrée de plantes que de meubles. Et à l'extérieur, elle était entourée d'un rideau de verdure qui montait jusqu'à la toiture avec un allamanda qui avait grimpé par là, pour jeter au soleil ses grappes de fleurs d'or. A l'angle de la case, Célia avait planté un pied de roses cayenne qui regorgeait de janvier à décembre de grosses fleurs bien pommées, d'un rouge chatoyant. Et les fleurs blanches du sureau planté juste au bord d'un bourbier immonde offraient, elles, une sorte de pureté et de candeur dans ce coin malsain.

Semen-contra, frombazin, patchouli, ti bonm, ti cann, toutes ces plantes officinales plantées côte à côte dans cet espace très réduit, évinçaient par leurs douces senteurs les effluves malodorantes du quartier et du canal qui coulait derrière l'hospice voisin. Près du baril à eau, un jeune cocotier avait poussé, étalant ses palmes vertes et jaunâtres comme un grand parasol. Ainsi Célia avait su, dans la grisaille des faubourgs sales, se créer un petit environnement verdoyant, un oasis caché au cœur des faubourgs sales. Un cadre agréable qui lui rappelait sa campagne lointaine, ses champs, ses bois. Rien ne pouvait mieux témoigner de sa sensibilité et de sa délicatesse : Célia était une fille de cœur. Elle aimait ses parents et ne manquait pas une occasion pour leur témoigner son affection. Elle ne laissait pas passer un mois sans aller les voir à Bonne-Espérance, leur apportait des cadeaux, provisions, articles de ménage pour la maison, vêtements...

- Cela me fait mal de voir mes parents plongés sans espoir, jusqu'au cou, dans la misère, disait-elle souvent.

Et elle employait une bonne partie de son salaire pour adoucir l'existence de sa famille, pour aider les siens.

Mélody pensait à Célia toujours avec une grande tendresse. Célia n'était pas mariée, elle restait avec un jeune ouvrier du bâtiment, grand amateur de pitt à coq (11). Ce qui la faisait prôner l'union libre et qui l'avait poussée à dire à Mélody qui s'en faisait un peu de l'incartade d'Elzéa :

« Vo mié, ma chê, on bon rété, ki on mové mayé ! » (12)

Bégonia, qui était présente ce jour-là, se déclara être de son avis, car elle-même n'avait pas été mariée et avait eu sa fille à crédit comme elle disait si bien. Cependant, Bégonia avait signifié à Bertobin qui venait de lui demander Mirette en mariage :

- Ecoute, mon fils, c'est en mariage que tu es venu demander ma fille. Arrange-toi comme tu entends, mais tu l'épouseras. Oui, mon garçon, tu l'épouseras...

Mirette allait donc se marier à Bertobin. Mélody ne ressentait aucune petite piqûre au cœur. Elle aimait trop son amie d'enfance pour la jalouser. Elle pensait simplement que Mirette elle, avait réalisé ses rêves, qu'elle était chanceuse.

- Enfin une que le destin n'a pas trop trimballée, se disait Mélody.

---

(11) Gallodrome : enceinte où l'on fait des combats de coqs.
(12) Un bon ménage vaut mieux qu'un mauvais mariage.

A Bonne-Espérance, Mirette, bien avant que sa mère ait décidé de quitter l'habitation, avait manifesté le désir d'aller à la Pointe travailler afin de se faire mettre deux dents en or. Elle avait fait une chute et s'était cassée deux dents et pensait que cette disgrâce l'empêcherait de trouver un fiancé. Aussi, dès qu'elle eut travaillé, elle se fit mettre ses deux dents en or. Un premier rêve réalisé. Et voilà que maintenant elle allait se marier. Le grand rêve. Après le mariage, elle continuerait à travailler. Mais elle chercherait un travail moins pénible, où elle serait plus au sec, car à cause de son asthme, il lui devenait de plus en plus dur de patauger dans l'eau froide de la glacière annexée à la limonaderie. Pour la jeunesse, les rêves sont sans trêve. Et Mirette souhaitait prendre un jour un petit lolo (13) où elle vendrait pour commencer de la glace, quelques casiers de limonade, du pain, des akras (14) et toutes ces confiseries qu'elle savait déjà si bien faire : sucre à coco, sucre à noix, dentelle-au-four, doucelette, nègre-en-sac, grabiot...

- Et pourquoi pas un jour une grande épicerie, une boutique moderne, un mini-libre-service, pensait Mirette qui se voyait déjà une grande commerçante assise droite et digne à sa caisse, ayant les yeux partout pour surveiller les opérations et le travail de ses petites vendeuses.

Mais elle savait que rien ne s'obtenait sans efforts, sans labeur, et qu'il fallait un courage obstiné, un caractère opiniâtre pour forcer le destin. Si elle voulait plus que tout se marier, elle avait aussi toujours voulu travailler et elle disait :

- Maman Bégonia a raison, le premier mari d'une femme doit être son travail.

Ce qui poussait Célia à affirmer péremptoire :

- Le travail, c'est comme un paratonnerre pour la femme, mariée ou pas.

Mélody était à l'unisson avec ses amies et ne pouvait

---

(13) Petite boutique.
(14) Beignets de morue ou de légumes.

s'empêcher d'être inquiète en se rappelant les propos d'Ornésiphore, un soir, chez Cilote :

- Si je me marie un jour, je ne pourrai jamais accepter que ma femme travaille au dehors, avait-il lancé dans la discussion.

Mais très vivement Mélody avait riposté :

- Moi, l'homme qui m'empêcherait de travailler dehors n'est pas encore né.

Et Ornésiphore s'était contenté de secouer la tête en disant :

- C'est vraiment le monde à l'envers... Actuellement les femmes n'ont à la bouche que deux mots : travail et planning.

- C'est l'évolution, lui avait répondu Cilote.

Mais si Mélody était d'accord sur les vertus du travail pour la femme, elle n'acceptait pas, par contre, la propagande effrénée pour la limitation des naissances qu'on faisait, et elle se disait indignée :

- Je suis contre tous ces politiciens qui, lot coté d'lo (15), nous comparent à des radenn (16) auxquels il faut donner la pilule. Ce n'est pas parce qu'on fait des enfants qu'on est dans la misère, c'est plutôt leur système qui nous détruit la vie.

- Mais si tu veux travailler, que feras-tu donc avec la marmaille ? Regarde un peu, si ce n'est pas un crève-cœur de voir tous ces enfants dans la rue, livrés à eux-mêmes du matin au soir, lui avait dit un jour Mirette.

- C'est vrai, avait alors pensé Mélody mélancolique. On dirait que les enfants n'appartiennent plus à la famille, mais à eux-mêmes, si ce n'est à la rue.

En effet, les enfants étaient partout, dans les rues et les ruelles des faubourgs, les cours, les couloirs.

Une kyrielle d'enfants. Leurs jeux, leurs cris, leurs rires, leurs chants se mêlaient tout le long des journées, aux

---

(15) L'autre côté de l'océan (en France).
(16) Cochon d'inde, cobaye.

tumultes des rues grouillantes. Ils jouaient aux courses nautiques avec des bateaux en papier ou des pelures de canne dans les canaux et les dalles remplis de golomines (17), pataugeaient pieds nus dans les bourbiers des cours les jours de pluie en jouant au choh (18) le visage tout barbouillé de jus de mangues ou de canne, les cheveux crépus tortillés en d'innombrables grains de poivre. Tous ces enfants étaient, malgré tout, la vie et la joie des faubourgs. L'avenir du pays. Ceux de Violetta à Dino comme ceux de la rue Ticaca, ceux des cours Litin, Latman, de la Place à charbon et d'ailleurs. Mélody pensait qu'il fallait à tout prix qu'il y ait tous ces enfants-là qui goumaient (19) avec les fièvres, les parasites, la faim, la misère. Sans eux, quel intérêt aurait la vie ? Pourquoi faudrait-il donc rénover et construire des logements décents ? Mais pourquoi ?

Et soudain, la solution lui était venue comme une lueur subite d'éclair dans un ciel sombre. Interrompant son silence et le cours de ses réflexions, elle avait lancé à l'adresse de Mirette :

- Il faut exiger que l'on construise des crèches, des garderies, des écoles maternelles pour permettre aux femmes de travailler sans inquiétude et sans cas de conscience.

Elle avait lu cela dans le petit journal que son amie Cicie lui portait chaque mois.

Mais, malgré cet argument qu'elle approuvait pleinement, Mirette continuait à penser qu'avoir trop d'enfants ruine la femme physiquement et moralement, et qu'il fallait planifier les naissances.

Mélody elle, ne cessait d'insister :

- L'enfant, c'est la base de tout ce qui doit venir. La survie de la race. Si nous ne faisons plus d'enfants, nous sommes perdus, il ne restera plus grand-chose de nous et on finira par nous absorber.

Célia volait à son secours :

---

(17) Guppy.
(18) Cache-cache.
(19) Se battaient.

- Ah ! oui, il faut avoir des enfants. Il nous faut faire les sept possibles pour élever nos enfants et les éduquer convenablement. Mais il ne faut pas se laisser dévorer par eux, car en fin de compte, les enfants poussent, malgré tout, et s'il y en a pour un, il y en a pour deux.

Toutes ces discussions, Mélody les passait et repassait dans sa tête. Elles étaient pour elle objet de très longues réflexions et ferment de son mûrissement.

Elle se demandait pourtant, quelquefois, comment faire pour élever cet enfant qu'elle avait tant désiré, et continuer en même temps à travailler. Il lui fallait peut-être trouver un autre travail plus rapproché de son domicile et surtout, qu'elle puisse prendre le matin un peu plus tard, vers huit heures par là. Il n'est pas question, se disait-elle, de réveiller bébé à cinq heures du matin pour l'emmener chez la gardienne. La gardienne, un souci déjà écarté. Car, comme tante Yéyette ne pouvait plus repasser, à cause de sa mauvaise santé, elle gardait des enfants, et elle lui avait promis de lui prendre le bébé. Mélody pensait qu'elle avait beaucoup de chances d'avoir tante Yéyette qu'elle connaissait et qui s'occuperait très bien de l'enfant. Mais Ornésiphore n'était pas tellement d'accord. Il disait que Mélody devrait se contenter de ce que lui, il gagne avec la pêche, et rester à la maison pour élever leur enfant, au lieu de le trimballer très tôt le matin chez une gardienne, serait-ce tante Yéyette.

Mélody ne s'en laissait pas conter et lui répondait, essayant de le convaincre :

- Je serai une très bonne mère, tu verras doudou (20) comme j'élèverai notre enfant et m'occuperai de notre ménage. Mais je ne pourrai pas me priver de mon travail. J'en ai besoin. Le travail m'a tout apporté, il m'a pour ainsi dire sauvée de la désespérance.

Alors, elle faisait des plans, arrangeait et dérangeait des dizaines de fois sa vie en imagination. Elle élaborait des

_____
(20) Chéri.

158

projets à réaliser après la naissance. La priorité pour Mélody, c'était d'avoir un appartement, dès que les logements seraient construits.

- Bien élever ses enfants, c'est d'abord leur donner un cadre de vie convenable, disait-elle à Ornésiphore.

- Un cadre de vie convenable ! reprenait-il d'un ton railleur.

- Tu vois ta fille allant vider le seau hygiénique chaque soir dans le canal, ou allant chercher son seau d'eau à la fontaine jusqu'au bout de la rue ? et tout cela chaque jour que Dieu fait.

Ornésiphore ne répondait pas à ces questions qui, somme toute, le gênaient un peu. Mais il continuait à penser :

- Cela a toujours été ainsi, comment pourrait-on changer cela ?

Il n'arrivait pas à comprendre Mélody qui croyait avec certitude qu'on pouvait transformer la vie. Une vie qui a toujours existé telle qu'elle est. Et il disait résigné :

- C'est pas nous qui avons fait la vie, nous devons la prendre comme elle est !

- Je crois au Progrès, je crois à l'Evolution, moi. On transformera notre ville et on changera une face de notre vie si minable. J'ai confiance, répliquait Mélody.

- Avant de voir tout ce que tu rêves, tu verras un merle blanc, ironisait encore Ornésiphore.

- Qui vivra verra, qui mourra saura, répondait Mélody.

- C'est ton amie Cicie qui te met toutes ces fadaises dans la caboche... Mais que veut-elle même ? Que cherche-t-elle ? A te faire tourner si ce n'est pas perdre la tête ? reprenait Ornésiphore d'un air irrité.

- Cicie est une des nôtres. Elle connaît notre vie et voudrait qu'elle change. Elle nous aide à prendre conscience de nous-mêmes, de notre classe, et cela tout simplement, comme elle peut... C'est tout ce qu'elle cherche, pas plus, avait répondu Mélody nullement étonnée de l'irritation d'Ornésiphore qui n'avait pas l'air d'apprécier les liens qui unissaient Mélody à ses amies.

Que ce soit Cicie, Célia, Mirette, Evenore, les amies de Mélody lui étaient très chères. Elle les considérait comme des sœurs, portait à chacune, une très grande affection, et n'acceptait pas les propos désobligeants d'Ornésiphore contre l'une ou l'autre d'entre-elles.

- C'est toute ma famille, avait-elle dit à Ornésiphore, dès le début de leur liaison, après avoir remarqué l'attitude récalcitrante qu'il affichait lors des visites de ces jeunes filles qu'il surnommait pour rire : swalet (21) Bonne-Espérance, parce qu'il les trouvait trop peu en chair, bien trop minces à son goût.

A Bonne-Espérance, toutes ces jeunes filles avaient poussé porte à porte des cases de l'habitation. Inconscientes ou sérieuses. Elles aimaient la vie, l'amour, chanter, danser. Lorsqu'une mère se plaignait un peu de l'une ou de l'autre, le père Sonson plaidait en faveur de l'accusée en disant à la mère :

- Comment, comment tu t'oublies ! C'est de tout temps pareil. Les petites filles ne changent pas, elles ont toujours été amoureuses, elles couchent ou ne couchent pas selon les tempéraments. Cela a toujours été ainsi et c'est ainsi dans tous les pays. Aujourd'hui, elles ne sont ni meilleures, ni pires, ni plus vertueuses, ni plus vicieuses qu'autrefois.

Père Sonson ajoutait que les filles étaient le sourire de la vie et il appelait celles de Bonne-Espérance : les fleurs de misère.

Descendues à la Pointe, ces fleurs de misère étaient restées très unies et même plus liées encore, pour mieux faire face au déracinement et à l'isolement. Elles restaient solidaires en toutes circonstances. D'une solidarité agissante et d'un attachement indéfectible. Ainsi elles s'épanouissaient dans une grande confiance en la vie avec un petit grain

---

(21) Alouette, pluvier.

d'espérance dans l'âme. Bien que très différentes physiquement, elles présentaient la même ressemblance de goûts, de rires, de chansons et de rêves.

Avec elles, mille mélodies montaient de case en case, se diffusant dans tous les coins des faubourgs et du fond des cours, comme sorties du tréfonds des cœurs.

Les fleurs de misère de Bonne-Espérance étaient devenues, à la Pointe, des jeunes filles à chansons qui saoulaient les faubourgs sales de leurs mélodies d'espoir, et de leurs rires clairs, provocants, accrocheurs et bien vivants.

XI

Dans les faubourgs, le carnage des chiens errants affolait et alarmait encore plus que le spectre de l'homme au bâton (1).

Des meutes de chiens au poil noir ou jaune hérissé comme des piquants, au long corps flasque, le regard fou, se promenaient partout, fouillant dans les innombrables tas d'ordures pour trouver pitance.

Après avoir, une nuit, dépecé une vieille truie noire qui, les mamelles traînant jusqu'à terre, déambulait en toute liberté par les ruelles, un matin, encore enivrés par le goût du sang de la truie, comme des fauves, ils avaient attaqué un bébé de deux ans qui avait voulu jouer avec eux. Heureusement qu'il y avait à quelques pas un éboueur en train de curer les dalots, qui les chassa à grands coups de pelle.

Mais ils avaient déjà mordu affreusement le bébé. De sa petite cuisse complètement déchiquetée par les crocs de ces bêtes devenues féroces, s'écoulait abondamment un sang vif et pur, rougissant les flaques immondes de la ruelle.

---

(1) Satyre se servant d'un bâton pour déflorer les jeunes filles.

L'émotion était à son comble. Mélody, bouleversée, faillit s'évanouir et dit, courroucée :

« Mais quelle malédiction porte cette terre où les rats et les chiens dévorent les enfants ! »

C'est ce matin-là — on venait de conduire l'enfant à l'hôpital St-Jules —, qu'on vit débarquer dans le quartier, au coin de la rue Bouchonnery Lardenet et du faubourg Nasseau, Elzéa et sa marraine, Madame Biskra. Elles avaient décidé de passer de case en case, lorsque Elzéa tomba sur Mélody.

- Ah ! c'est par ici que tu habites ? Je pense que tu sais ce qu'on complote contre vous dans ce quartier ?

Mélody l'écoutait, le sang bouillonnant, mais la laissant déballer sa leçon, elle fit :

- Ah ! bon !

- Oui, ma chère, on veut vous parquer comme des animaux dans la mangrove. Il ne faut pas vous laisser faire, non. Il ne faut pas partir... Tu sais comment je te considère, la Mélo, tu es comme ma p'tite sœur, je ne veux que ton bien, c'est pour cela que je t'avertis...

Mélody, n'en pouvant plus, arrêta ses effusions en répliquant vertement :

- Ne te fatigue pas... Seulement, j'avais cru comprendre que tu ne descendrais jamais plus dans la boue, je suis étonnée de te voir mettre les pieds ici aujourd'hui.

Et elle avait ajouté à la marraine revenue rejoindre Elzéa et qui parlait d'antre de vermines et d'animaux néfastes de toutes sortes en visant la zone de transit.

- Vous tombez bien pour parler d'antre d'animaux. On vient de transporter un enfant de deux ans à l'hôpital, dévoré par des chiens, qu'en dites-vous ?

- Mais ce sera pire là-bas, vous serez parqués comme des animaux, continuait la dame, sans un mot de pitié ou même de curiosité pour cet enfant dévoré par les chiens.

- Vous croyez, vous, madame, qu'ici nous sommes bien traités. Regardez-là, au fond, de l'autre côté de la cour, voyez les cochons du voisin vautrés dans la boue à deux pas de ma chambre, sentez l'odeur de leur fumier, voyez les yinyin (2) qu'ils attirent, criait Mélody de plus en plus en colère.

- Mais ce sera pire dans la zone, renchérissait la dame qui n'en démordait pas. Et puis, vous serez isolés loin de la ville, vous serez comme dans un camp de prisonniers.

- Moi, je ne pourrai pas être plus mal qu'ici, il n'y a que l'enfer qui soit pire que ces faubourgs de malheur. Là-bas, on aura des blocs sanitaires, des écoles, un dispensaire, un lavoir, même une église et une bibliothèque, l'informait Mélody.

- Promesses, promesses que tout cela : pawol an bouch pa chaj (3), vociférait la dame Biskra.

Plus vite que batte zié (4) une dizaine de femmes les avaient entourées et, comme un essaim d'abeilles, elles se mirent à attaquer de toutes parts les deux visiteuses, leur posant maintes questions embarrassantes, les tournant en ridicule, avec un humour amer ou piquant, certaines leur criant même des sarcasmes menaçants :

- Laissez donc votre quartier d'aristo (5) et votre belle maison hotéba (6) et venez vivre quelques jours dans ma cour à la rue Ticaca, hurlait Célia arrivée comme une furie sur les lieux, on ne savait comment.

- Puisque vous êtes venues nous visiter, il ne faut pas le faire à demi, venez voir, venez ! criaient les femmes déchaînées.

Sans pitié, elles entraînaient de force Madame Biskra et Elzéa dans les profondeurs des cours et arrière-cours. Le ciel était encore maussade et gris. Toute la nuit il avait plu et partout l'eau stagnait encore malgré les rayons du soleil qui s'était montré matin. On entraînait, ballotait les deux dames, malgré leurs protestations. On les faisait alors sauter

---

(2) Petits moustiques.
(3) Promesse sans lendemain.
(4) Battre les yeux.
(5) D'aristocrate.
(6) Haute, à étages.

d'un pied après l'autre sur les bouts de planches déposés dans les flaques de boue pour faciliter le passage. Elles pataugeaient dans l'eau sale des bourbiers infects. Elzéa perchée sur ses talons aiguilles, se sentait de plus en plus mal à l'aise pour déambuler à travers les cloaques.

Brusquement une jeune femme leur découvrit en plein nez une tinette débordante en disant :

- Sentez, sentez donc comme cela sent bon. Parfum agréable n'est-ce pas ? C'est du Pompéa, hein ?

- Non, reprit Célia méchamment, c'est de l'Héliotrope, du Soir de Paris, les parfums de la donzelle, en montrant dédaigneusement Elzéa.

- Il nous faut, nous, continuer à vivre avec, n'est-ce pas ? interrogea une autre femme, voyant Mme Biskra mettre son mouchoir sur le nez.

Elles continuaient à entraîner les visiteuses malgré elles dans les dédales. Tout au fond d'une impasse, une femme se montra sur le seuil d'un taudis qu'on ne pouvait croire habité, une mansarde délabrée, aux portes défoncées ; au toit, un trou béant avait été bouché, à défaut de tôles, par plusieurs sacs en jute imprégnés de toute l'eau de la dernière pluie. La femme tenait un bébé pendu à un sein flasque comme une bourse vide. L'enfant avait tout le petit corps couvert de minuscules boursouflures purulentes. La mère, aux cris et paroles qui accompagnaient la procession, comprit tout de suite ce qui se passait. Elle se mit alors à se lamenter, criant et pleurant, montrant le bébé qu'elle tenait dans les bras et deux autres couchés sur le plancher défoncé, le corps tout aussi couvert de boutons, et elle dit avec un accent déchirant :

- Regardez un peu mes petits ! Ce n'est pas une malédiction de voir des enfants ainsi rongés par toutes sortes de microbes et de vers ? Et vous venez me conseiller de rester dans ce trou infect, pour qu'ils crèvent tous les trois, l'un après l'autre, bande de scélérates !

Les femmes s'étaient tues, émues. De voir le dénuement et la détresse de cette femme, d'entendre ses pleurs et ses lamentations, toutes elles pensaient qu'on touchait là, au fond de cette cour, le fond de la misère humaine.

Alors Mélody, les larmes aux yeux, la voix angoissée, jeta aux deux visiteuses :

- Vous devriez avoir honte maintenant du travail infâme que vous venez faire ici, vous, deux femmes. Vous n'avez pas de cœur, non...

Mme Biskra et Elzéa se sentaient piégées comme dans un tourniquet, d'où elles n'arrivaient pas à sortir. Elles suffoquaient, incapables de placer un mot, tant elles étaient prises de saisissement, pire que si on leur avait versé un baquet d'eau glacée sur la tête. Elles n'avaient pas compté avec un tel accueil. Après avoir reçu quelques légères bourrades, apeurées et crottées, elles réussirent à s'échapper en se mordant les doigts de s'être aventurées dans une telle expédition.

- On ne peut plus continuer à accepter des boniments, avait dit Mélody en les regardant partir.

Toute la sainte journée, la radio cod boi patat (7) avait émis l'information partout dans les faubourgs et même au-delà, jusqu'au Carénage et à la cour Zamia.

Ainsi, la sortie de Grenoble faite à ces dames était commentée et approuvée dans toutes les cours, d'un bout à l'autre de la ville. Une personnalité comme Mme Biskra, ainsi huée et chassée, c'était un événement. Un événement sensationnel. L'attitude décidée des femmes forçait les hommes à réfléchir. Et même les plus réfractaires, les plus irréductibles, ceux qui se targuaient de prendre le coutelas si on venait les décaser, à entendre les femmes babiller et à voir leur détermination, étaient obligés de se plier.

- Il vaut mieux laisser faire les femmes, répétaient-ils en continuant eux-aussi les discussions et les bavardages le soir, à la fraîche, sous le fromager.

Langage nouveau chez la plupart des hommes.

Ce soir-là, on aurait dit que la nuit hésitait de tomber

---

(7) De bouche à oreille.

sur la ville alors que les étoiles pointaient déjà, çà et là, leurs têtes lumineuses aux fenêtres du firmament. Une grosse lune bien pleine, tout comme les espérances des femmes, semblait surgir d'un coup et monter doucement par dessus les gros nuages d'un gris sale et triste qui couvraient le ciel des faubourgs.

Ainsi les faubourgs appartenaient aux femmes. Elles y étaient maîtresses et on pouvait dire même qu'elles en étaient les reines incontestées. Pouvoir de femmes, pouvoir de sages. C'était rassurant et de bon augure que toutes ces jeunes femmes aient pris en main l'idée du changement. « Ce que femme veut, Dieu le veut », disait père Sonson. Les femmes pensaient et espéraient en une vie nouvelle plus ardemment que les hommes. Elles avaient hâte de vivre dans leur cité nouvelle. Et Mélody pensait :

- Et dire que dans vingt ou trente ans on dira que, avant de construire des logements décents, il fallait préparer les gens au changement de cadre et de vie. Préparée ou pas, moi, je ne veux plus vivre dans ce purgatoire et je ne veux pas que mon enfant le connaisse et le vive.

Des centaines de femmes pensaient comme Mélody. Toutes leurs conversations se faisaient autour de la rénovation, elles y pensaient nuit et jour.

- De penser qu'il n'y aura plus de seaux hygiéniques à vider au crépuscule sous les rires goguenards des enfants et de la populace, clamant d'un air canaille : « machann sôbé » (8) me donne envie de danser, avait déclaré un jour Célia à Violetta et Mélody, venues lui rendre visite.

- Rien que de penser qu'il y aura l'eau à l'évier et que seront finies les interminables queues et les rixes à coups de seaux au bord de la fontaine, me donne, moi, envie de chanter, avait répondu Mélody.

- Moi, de penser qu'il y aura le soir, une bonne douche pour la marmaille me fait une légère griserie comme celle d'un petit punch dans la tête, avait ajouté Violetta. Et les

---

(8) Marchande de sorbets.

trois femmes partirent alors, d'un même éclat de rire en constatant avec quelle gaieté enfantine elles nourrissaient leurs rêves et déballaient d'une façon théâtrale leurs fantasmes de confort et de mieux-vivre.

Ainsi les femmes pensaient aux agréments d'une vie décente dans les nouveaux logements. On aurait dit qu'elles étaient toutes devenues étourdies et ivres sur les feux de l'espoir. On les trouvait partout, devant les fontaines, près de la halle aux poissons, sur la place à « Man Réo », devant l'église St-Jules. Elles étaient partout dans les encoignures par petits groupes, jeunes et moins jeunes, parlant, commentant, défendant leurs édiles, pérorant et pourchassant de leur langue acérée et parfois de leur charivari, les détracteurs de l'opération de décasement. Cilote était parmi les plus ardentes et communiquait sa foi et son dynamisme à Mélody, à Célia et aussi Mirette qui devait bientôt se marier et espérait avoir un beau logement flambant neuf.

Mélody, elle, liait toutes ces transformations prochaines de la ville à celles qu'elle souhaitait pour sa propre vie.

« Destin de la ville et destin de ma vie », disait-elle. Elle sentait que le changement qui s'effectuait en elle, physiologiquement, était comme le symbole de ce qui se passait dans le même temps dans la ville. Deux fécondations parallèles. Pour Mélody, ce mystère, dont ses entrailles étaient pour la deuxième fois le théâtre, était quelque chose de merveilleux. Elle le ressentait cette fois avec beaucoup plus d'émoi et avec toute sa puissance. En pensant à ce petit être qui se formait en elle, jour après jour, avec son sang, avec sa chair, elle se disait, non sans orgueil :

- Je me sens devenir un personnage important, une reine, une créatrice... Je crée la vie, c'est merveilleux !

Elle pensait au logement qu'elle avait tant voulu avoir pour reprendre sa fille Aimely du « Lait amer ». Maintenant, elle ne pouvait pas encore bien croire qu'elle aurait pour son nouveau bébé un foyer comme elle ne s'était jamais, pas une seule fois, imaginé.

Elle s'était inscrite parmi les premiers pour avoir un

logement dans la nouvelle cité. Elle essayait de se boucher les oreilles pour ne pas entendre la bordée de sottises que débitait Ornésiphore.

- Moi, disait-il, je ne me vois pas vivre toute ma vie de chrétien enfermé dans des kaloj a poul (9), surtout si haut perché.

Mélody, qui suivait toutes les réunions et conférences d'information sur la rénovation, connaissait les problèmes que posait la superficie limitée de la ville et essayait de lui expliquer :

- Si on veut loger tout le monde, comment faire autrement, la ville n'est pas grande. Mais doudou (10), on s'habituera vite à ces logements en hauteur, tu verras.

Mais Ornésiphore s'appliquait, lui, à ne rien vouloir comprendre, il répétait les arguments qu'il entendait des adversaires de la rénovation. Mélody se sentait quelquefois triste de l'attitude de son compagnon et elle se demandait :

- Comment peut-on aller à contre-courant de la vie qui coule vers l'avenir, vers le progrès ?

A l'opposé de Ornésiphore, elle croyait à l'évolution, non seulement de sa vie mais aussi du pays. Mélody croyait que tout était lié : l'évolution de la ville, du pays et celle de sa propre vie. Et elle avait opté pour cette évolution, pour un changement radical et avait décidé de s'y engager et de s'y consacrer pleinement après son accouchement.

En même temps, elle plaidait pour la sauvegarde des traditions. Que faire ? Comment réagir ? se demandait-elle souvent. Elle sentait qu'il y avait comme une conspiration orchestrée pour fossoyer la tombe des traditions et des coutumes. Et, au plus profond d'elle-même, elle ressentait un drame difficile à dénouer, et vivait une situation ambiguë.

- Nos enfants ne connaîtront pas la vie de notre enfance, nos Noëls d'autrefois, nos carnavals à Bonne-Espérance, avait-elle dit un jour à Célia.

_____

(9) Cage à poule.
(10) Chéri.

- Tu parles de Noël et de carnaval, moi, je dis qu'ils ne connaîtront ni champ de canne, ni usine à sucre et cela très bientôt, d'ici à quelques années si on n'y prend garde, lui répondait Célia que le même drame bouleversait.

- Progrès et évolution, étouffement des coutumes et de la personnalité, doivent-ils forcément aller du même pas ? demandait Mélody, perplexe.

Toutes ces filles aussi assoiffées de progrès que la terre et la plante le sont d'eau et qui rêvaient de monter les échelons de la société en attendant de les briser, restaient fidèlement attachées à leurs coutumes.

Mélody en parlait avec Cicie lorsqu'elle venait la voir. Mais c'était surtout avec son amie Célia qu'elle parlait de tous ses problèmes, ayant renoncé d'en discuter avec Ornésiphore qui se montrait de plus en plus incompréhensif et inaccessible à ce tumulte d'idées qui forçait à réfléchir.

- Il faudra acquérir certaines manières, adopter un autre genre de vie, il faudra vivre autrement, disait Célia.

- Pourrons-nous le faire sans renier nos origines, notre classe de nèg à houe, nèg à sab, nèg a cann (11), interrogeait Mélody.

- Il y en a qui ne pourront jamais se renier. Bégonia, toi, moi et Cicie aussi, oui Cicie, car nous sommes pétries dans le limon de la misère et du courage, proclamait Célia.

Toutes ces pensées hantaient Mélody avec persistance. Le soir, seule dans sa case, une fois Ornésiphore parti à la pêche, couchée sur le dos, une main sur son ventre pour sentir vivre son bébé et communiquer avec lui, elle revoyait le chemin parcouru depuis Bonne-Espérance. Et elle disait :

- Il y a quelques années, toutes, nous souhaitions tant ne pas aller comme nos grands-mère et nos mères dans l'esclavage des champs de canne à sucre. Nous voulions à tout prix fuir le travail d'attacheuse, les pois grattés (12), les dartres du chaud soleil, les avances des gérants. Et

---

(11) Travailleurs de la terre, de la canne.
(12) Sorte d'orties.

maintenant que nous nous efforçons, loin de tout cela, de devenir des citadines, nous voilà écartelées. C'est que nous n'arrêtons pas de trimballer Bonne-Espérance avec nous. Mélody réfléchissait souvent à la mutation impromptue survenue non seulement dans leur existence à toutes mais aussi dans leur être et même dans leurs pensées. Elle constatait qu'à quelques rares exceptions, toutes, elles avaient commencé leur nouvelle vie à la Pointe, comme servante, bonne d'enfants ou vendeuse et que maintenant, elles cherchaient autre chose et aspiraient à changer cette vie et aller plus loin.

Célia ne faisait-elle pas des démarches pour rentrer à la cuisine de la cantine scolaire, Mélody elle-même espérait bien, après son accouchement, avoir aussi un job à la municipalité. Avec son Certificat d'études, elle pense que ce sera peut-être possible.

- Le père Sonson avait bien prédit tous ces changements, se disait Mélody.

On était en plein hivernage.

Depuis plusieurs jours, on avait annoncé un cyclone.

- Le cyclone arrive, il sera là cette nuit, répétait-on.

On avait entendu toute l'après-midi le bruit sec et incessant des marteaux pour consolider les toitures et les portes fragiles.

Les femmes s'étaient approvisionnées en pain, riz, farine, queues et pois rouges, savon, bougies et allumettes.

Pourtant, il ne pleuvait pas. Il faisait une chaleur torride, le ciel sombre et bas semblait lui aussi dans l'attente.

Mélody avait accompagné Ornésiphore qui voulait mettre son canot à l'abri. Elle l'avait aidé à tirer le canot le plus loin possible du rivage. Il essayait de l'attacher dans un bouquet de catalpas trapus couverts de multitudes de petites fleurs jaunes, et sur lequel à son avis le vent n'aurait pas trop d'emprise.

Ornésiphore se démenait et transpirait abondamment. La sueur coulait de son large front à ses yeux, l'aveuglant. Mélody avait alors détaché sa tête et avec son madras, lui épongea le front et le visage avec une grande douceur. Ornésiphore avait ressenti cette tendresse et l'avait regardée un moment en souriant puis avait dit en continuant à arrimer le canot à l'abri des arbres :

- Ah ! c'est un sacré boulot, marin-pêcheur, et qui ne rapporte pas grand-chose.

- Et il faut finir de payer le canot.

- C'est vrai, il ne s'agit pas de le perdre, alors qu'il n'est pas encore tout à fait à nous.

- Ah ! oui, c'est dur et ce sera encore plus dur lorsque le bébé sera là.

- Surtout que tu devras laisser la boutique pour rester à la maison t'occuper de l'enfant.

- Il me faut travailler, Siphore. Le poisson à lui seul ne pourra payer le loyer, le canot, l'eau, l'électricité et le lait pour le bébé. Et puis, il nous faudra acheter d'autres meubles car on ne peut rentrer dans un logement neuf avec ce bric-à-brac. En même temps, il faudra manger, boire, s'habiller convenablement.

Mélody se découvrait de nouveaux besoins, d'autres goûts et se préparait à l'apprentissage d'une autre façon de vivre. Un nouvel art de vie. Déjà, elle sentait qu'elle avait changé en l'espace d'une demi décennie et savait qu'elle élèverait cet enfant qu'elle attendait, bien autrement qu'elle aurait élevé Aimely.

- Maintenant, j'ai d'autres idées en tête, je vois plus loin, plus haut et surtout plus clair pour nous, pour notre enfant, confia-t-elle à Ornésiphore, qu'elle essayait, malgré ses réticences, d'entraîner dans le tourbillon du mouvement et du changement.

- A quoi tout cela sert la Mélo ? c'est comme si tu voulais faire sortir du sang d'une roche, lui répondit Ornésiphore.

Et il ajouta avec conviction :

- Ma pauvre Mélody, nous sommes nés tout nus comme la bouteille et nous allons mourir aussi malheureux que la pierre... C'est notre sort à nous...

- Moi, je pense arracher le guignon de ma vie et de celle de mes enfants et pour y arriver, j'irai jusqu'au bout, répliqua Mélody avec force.

- Tu te laisses manier par ton amie Cicie et toutes les idées qu'elle vient ici te fourrer dans la tête, avait sifflé ce jour-là Ornésiphore entre les dents.

- Personne ne m'a rien fourré dans la tête. Seulement, j'observe et je fais travailler ma tête, moi... Je sais que la course pour le bonheur est partie maintenant. Elle sera peut-être longue, mais si je ne suis pas sur la ligne d'arrivée, mes enfants, mes petits enfants y seront et je veux leur frayer le chemin, avait alors déclaré Mélody, ulcérée.

- Tou sa sé pawol, é pawol sé van (13), rétorqua Ornésiphore ironique.

Et, sérieux, il ajouta :

- Tout ce que je peux te conseiller c'est d'arrêter toutes ces discussions inutiles avec toute la bande de Célia, Bégonia, c'est cela qui t'empêche de vivre tranquillement ta p'tite vie...

Une fois de plus, ils n'étaient pas au diapason. Ce jour-là, Mélody préféra encore se taire et ne voulut pas continuer la conversation.

Silencieusement ils rentrèrent : Mélody lointaine, regardait la mer qui montait, coléreuse, tout en regrettant que Ornésiphore soit si obtus.

Elle regrettait son esprit rétrograde, sa résignation, son manque d'ambition et d'idéal. Elle regrettait mais ne reprochait rien. Seulement, elle ressassait en elle-même des idées et des réflexions très brûlantes qui la faisaient souffrir. Souffrance silencieuse et qui la minait.

Mélody se demandait pourquoi Ornésiphore ne voulait pas jeter un autre regard sur les choses si importantes pour eux deux, pour leur avenir. Il esquivait toute discussion

---

(13) Tout ce que tu dis n'est que parole, et la parole c'est comme le vent.

sérieuse en sortant chaque fois l'une de ses sempiternelles blagues, les yeux moqueurs et la face hilare. Et lorsqu'il n'ironisait pas, il s'appliquait à la décourager.

Mélody essayait de comprendre son compagnon, et de l'excuser. Et elle retraçait la vie de cet homme qui n'avait d'autre but que de partir à la pêche, un soir sur deux. Entre temps, une petite consommation aux dominos à la buvette, ou bien un coup de ika ipaka (14) sous le vieux fromager en fin d'après-midi. Qu'aimait-il vraiment ? se demandait-elle. Pas le cinéma, cela lui faisait mal aux yeux de regarder les images se dérouler si vite à l'écran. C'était une messe et prière pour l'entraîner de temps en temps au Plaza. Une seule distraction qu'il acceptait, sans trop rechigner, c'était un bal ou un lewoz (15). Pas tellement d'ailleurs pour s'amuser, car il restait debout à regarder les autres danser, ce qui énervait Mélody qui aurait tant voulu danser avec lui et s'exhiber dans ses bras. Il ne lisait jamais, et avait même désappris à lire et à écrire. Lorsqu'il la voyait lire son journal comme elle le faisait chaque samedi soir avant de s'endormir, il lui disait railleur :

- Tu n'es pas si fatiguée que tu prétends, tu prends sur ton temps de sommeil et de faire l'amour pour lire des kouyonad (16).

Mélody continuait ses pensées ce qui attisait ses souffrances. Et elle réfléchissait :

- Déjà, il disait que c'était un gaspillage d'argent que d'acheter chaque samedi ce bout de papier des mains de Cilote. On aurait dit que son regard devenait même méchant, lorsqu'il me regardait lire le journal ou un livre.

Et Mélody, pour fuir ce regard hargneux, se cachait pour lire... Elle ne lisait que les nuits où Ornésiphore était parti en mer... ou alors si elle trouvait une seconde de répit à la boutique.

Alors Mélody se promettait avec force de tout faire pour

---

(14) Jeu de Boules.
(15) Danse ancienne.
(16) Bêtises, stupidités.

que son enfant ait l'esprit plus ouvert que celui de son père. Il faut qu'il soit instruit ou tout au moins qu'il ait un métier intéressant qui ne l'abrutisse pas. Elle croyait que c'était d'être souvent confronté avec les éléments et la solitude de la mer, qui rendait Ornésiphore si fermé et incapable de jeter un regard confiant sur la vie et l'avenir. Mélody était effrayée et inquiète de sentir leur intimité devenir comme une fleur dans un vase sans eau ; leur amour s'étioler par manque d'échange et de communication. Les aspirations, les espérances de Mélody n'étaient pas partagées par son homme qui la traitait de prétentieuse. Au fil de ses pensées, il arrivait à Mélody certaines fois, de se mettre instinctivement les mains sur les oreilles, croyant entendre Ornésiphore lui reprendre son couplet habituel.

- Tu es une femme, la Mélo et une malheureuse, tu as trop de prétentions, trop de choses dans la tête.

Ainsi Mélody sentait se creuser comme d'infectes fondrières dans la trame fragile de leur vie commune. Elle sentait aussi planer un handicap sérieux sur sa vie future et sur l'harmonie de leur couple : l'incompréhension. Elle était consciente des difficultés qu'elle aurait à surmonter pour triompher de cette incompréhension. Car elle savait aussi que la discorde naît de l'incompréhension. Et elle avait très peur. Peur de retrouver l'odieuse araignée de ses anciennes nuits de cauchemars. Elle redoutait cette souffrance qui petit à petit embrumait l'éclaircie qui était apparue avec l'arrivée d'Ornésiphore dans sa vie alors si morne. Maintenant qu'elle s'était réconciliée avec la vie, elle la désirait tellement belle et sereine. Pas tant pour elle-même, mais pour son enfant. Elle voulait pour cet enfant un foyer calme, un bonheur simple de tous les jours, fait de tranquillité et de joie de vivre.

Dès le premier jour de sa grossesse, elle s'était engagée à rendre heureux cet enfant qu'elle allait mettre au monde. Pour Mélody faire un enfant, c'était s'engager à former un être heureux. Elle s'était sentie si heureuse de cette grossesse qu'elle était sûre de pouvoir transmettre à son enfant certains schèmes de bonheur. Sublime responsabilité de la maternité. Très tôt, dans son existence, Mélody avait su discerner l'étendue et l'importance de cette responsabilité. Et elle se disait :

- Maintenant à toi de jouer, Mélody. Dans quelques jours tu devras passer à la pratique.

Malgré ses doutes et ses craintes, elle se sentait prête et décidée à démentir ceux qui affirmaient qu'il faut avoir vécu l'exemple d'un ménage réussi pour réussir son propre foyer. Et elle se répétait souvent comme pour exorciser le mauvais génie :

- Moi je réussirai, malgré tout, ma famille ! chiche !

C'est dans cet état d'esprit, la tête pleine de rêves écornés que Mélody voyait finir l'année. Une autre année qui s'écoulait, laissant derrière elle les menaces de cyclone. A chaque hivernage c'était une obsédante attente de la bourrasque tant redoutée. Et un jour, inopinément, elle arrivait en tourbillons, rugissant sous une pluie battante.

Les cases craquaient, essayaient d'abord de tenir tête pour ensuite céder à la force des rafales. Alors le vent furieux rentrait en trombe, ravageait tout sur son passage, abattant des pans de cloison, pour s'attaquer enfin à la toiture qu'il emportait comme fêtu de paille. Et puis, il s'en allait, laissant des amas de planches, de tôles, de branches, une véritable désolation.

Désolation, détresse, désastre plus cuisants dans ces faubourgs déjà si dénudés.

Mais les faubourgs, comme miraculeusement, savaient panser bien vite leurs blessures et se relevaient rapidement de ces coups de vent de l'hivernage pour préparer Noël.

Cette année-là, au lendemain de Noël, avaient débuté les fêtes du bicentenaire de la ville. Il y avait beaucoup de manifestations.

Mélody travaillait et ne pouvait y prendre part comme elle l'aurait voulu. Mais pour rien au monde, elle n'aurait raté la manifestation d'inauguration de la cité Ofameho. qui se dressait comme un monument superbe au milieu d'une multitude anachronique de taudis. Mélody aurait voulu être une de ces femmes privilégiées installées dans ces premiers bâtiments et elle se demandait :

- Mais à quand mon tour ?

Et en rentrant ce soir-là, elle se disait, morose : « Oui, l'année s'en va avec l'hivernage et les craintes de cyclone. Mais il reste encore tant de calamités : le chômage, les fermetures d'usines, le BUMIDOM et avec ces dernières élections présidentielles, il faudra qu'on se remette tout cela pour sept années encore... »

Et puis, elle s'était efforcée de ne pas penser à toutes ces mauvaises choses. Elle ne voulait penser qu'à la vie et à l'espérance qu'elle portait. A son enfant...

XII

D'énormes camions à benne apparurent un bon matin dans le quartier.

On était au mois de mars d'un carême exceptionnellement brûlant, qui, dans un court périple, avait déjà tout déséché sur son passage et faisait suer même les roches. Il n'y avait pas un souffle de brise fraîche pour balayer les odeurs nauséabondes qui persistaient à chavirer l'estomac. De gros flocons de nuages trop propres et trop blancs couraient sur le bleu d'azur d'un ciel de plomb. La veille, la terre avait tremblé, tout d'un coup. C'était un après-midi dardé par un soleil implacable. Très tôt cette année-là, une fois le carnaval passé, sans attendre la semaine sainte, les enfants avaient commencé à jouer au cerf-volant. Partout sur les faubourgs, comme pour un meeting aérien d'adieu, on voyait plonger vers le ciel, d'innombrables vons-vons (1) colorés. Il y en avait de toutes les couleurs et pas mal dérivaient désespérément au piyaj (2), leurs longues queues

_____

(1) Cerf-volant.
(2) En détresse.

178

s'étirant dans l'espace comme des couleuvres noires ou jaunes. Et les enfants s'époumonaient à crier :

- Bay filaj ! bay fil (3)

Brusquement, les chiens s'étaient mis à pleurer à l'unisson. Les poules, qui picoraient sur des tas d'ordures, s'étaient mises à caqueter comme des folles, les ailes ouvertes en éventail, balayant le sol poussiéreux. Le ciel s'était terni.

Alors toutes les cases se mirent à danser. Dans une bougeotte bruyante, les verres s'entrechoquaient dans le petit vaisselier de Mélody et le petit miroir suspendu à un clou sur la mince cloison de la salle tomba et se brisa en minuscules éclats parsemés dans toute la pièce.

Miroir cassé, sept ans de malheur ! pensa Mélody.

Alors, elle se signa et se jeta à genoux en criant avec une telle force qu'elle sentit une douleur fulgurante dans ses entrailles. Elle se plia, tenant à deux mains son bas-ventre, toujours les genoux à terre, et se mit à prier.

- Ah ! bon Dieu, pardon, je vous demande pardon, protégez mon enfant, faites qu'il connaisse la vie, faites qu'il voie le jour.

La secousse fut cependant brève et sans autre conséquence que la peur. Bien vite, chacun reprit ses sens, et tout sembla rentrer dans l'ordre pour Mélody, tant et si bien qu'au début de la soirée, Ornésiphore rassuré sur l'état de sa compagne, partit en mer comme à l'accoutumée. Mais, vers deux heures du matin la douleur revint avec des marques significatives d'un prochain accouchement. Mélody se leva, nettoya et mit de l'ordre dans la case, prit un bon bain tiède, s'habilla, prit sa petite valise et alla toute seule dans la nuit jusqu'à la rue Ticaca, réveiller Célia pour qu'elle l'accompagnât à la maternité.

De retour de pêche ce matin-là, Ornésiphore eut deux surprises. Celle de la naissance de sa fille et celle de l'arrivée des camions de déménagement. Célia était venue à

_____

(3) Filez-les, donnez du fil !

l'arrivée du canot lui apprendre les deux nouvelles. Il s'était donc précipité à son domicile et était arrivé à temps pour donner, aux responsables du décasement, l'autorisation d'embarquer la case avec tout ce qu'elle contenait sur un des grands camions, en direction de Lauricisque.

- On aurait dû nous avertir, avait-il grogné.

Et il jurait qu'il ne pourrait jamais oublier ce jour-là.

Adieu ! faubourgs : cochons et chiens errants, la boue, la fange, les cris, les pleurs, la souffrance et la faim mais aussi les sons de gwo-ka, les danses, les rires et les mélodies des filles couvrant comme un voile de gaieté et d'espérance toutes les laideurs. Adieu ! faubourgs.

C'est donc à Lauricisque que Mélody ramena de la maternité sa petite Aude resplendissante de santé. Ravissante petite poupée à peau de sapotille (4) avec un visage aux traits fins et délicats. Les grands yeux vifs et brillants semblaient déjà suivre du regard et lui donnaient un air très éveillé. Trop éveillé pour ses dix jours.

Les premiers jours de son retour de la maternité, en promenant son bébé pour l'endurcir à la fraîcheur du bon matin, Mélody parcourait toutes les ruelles avoisinantes et quelquefois poussait une pointe jusqu'au bord de la mer. Elle s'aventurait alors sur le chemin de halage des canots de pêche, là où les racines des palétuviers, comme amoureusement enchevêtrées, se trempaient tranquillement dans la mer plate et calme.

Alors, captivée par l'environnement, elle sentait fondre son cœur et causait à son bébé.

- Ma doudou, entends-tu les clapotis de l'eau, ils te bercent, tu fermes les yeux, te disent-ils la profondeur de l'amour de ta petite maman, doudou ?

Mélody aimait particulièrement cette promenade au bord de la mer, dans l'air frais du matin. Là, elle se sentait plus près de son enfant, seule avec elle, en parfaite communion. Elle lui racontait ses pensées et tout ce qu'elle

_____

(4) Fruit exotique à la peau chocolatée et veloutée.

espérait pour elle, pour son bonheur. Toutes ses attentes de l'avenir.

Elle s'en retournait toujours par de nouvelles ruelles, fouillant d'un regard curieux l'intérieur de chaque case, de chaque cour. C'est ainsi qu'un jour, elle découvrit Violetta et toute sa marmaille, installée depuis près de deux ans dans le quartier. Ce fut la grande joie des retrouvailles qui ne fut égalée que lorsque Célia eut à son tour gagné Lauricisque.

Mélody essayait partout de faire de nouvelles connaissances et de rentrer en contact avec les femmes. Au lavoir, devant son tas de linge, au dispensaire où elle allait peser le bébé, elle profitait de toutes les occasions pour parler avec les jeunes femmes de leurs problèmes, de la vie dans le quartier, des enfants beaucoup plus libres dans la journée, puisque les rapports de voisinage avaient changé. C'étaient de nouveaux voisins qui ne se connaissaient pas et qui ne se sentaient aucune obligation de jeter un p'tit coup d'œil sur les enfants ou de les réprimander en l'absence des parents.

Seul Piopio houspillait encore les petits galvaudeux, sermonnait le petit garnement ou le tire-au-flanc.

Piopio, ce grand escogriffe serviable, brailleur et blagueur comme pas deux. Mais patriote à sa façon. Il disait qu'il était partout et nulle part. On le voyait apparaître impromptu dans les coins les plus retirés de Lauricisque, imposant sa loi, veillant de son propre chef à l'ordre public.

On disait qu'il n'y avait pas plus fort que Piopio pour assommer un taureau, quel que soit son poids.

De ce fait, c'est lui qu'on allait chercher pour séparer et disperser les batailleurs des tripots de grenndé (5) et des buvettes.

Pour Mélody, la réalisation de ce quartier de Lauricisque était une victoire de la volonté des hommes sur les

---

(5) Jeu de dé.

éléments, sur l'environnement. Une preuve patente que l'on peut agir aussi sur les conditions de la vie, le dénuement, la misère et les systèmes qui les accouchent. Et elle pensait :

- Ce n'est pas un miracle, le remblaiement de ces trente-deux hectares de marécages sur lesquels est installée cette cité-transit de Lauricisque !

Lauricisque aux trois mille cases bientôt. Cases vétustes, plus ou moins délabrées, rescapées des faubourgs avec leur dénuement, la détresse des femmes seules, des hommes sans travail et des flopées d'enfants, la faim au ventre.

Une longue rue descendant jusqu'à la mer, conduisait au cœur de la cité. Pas de rues véritables avec des trottoirs mais des ruelles. Des allées numérotées, plus ou moins larges, bordées de chaque côté, d'une rangée de cases, convergeant toutes vers le centre.

Le sol de tuf présentait par endroits des crevasses qui par les jours de pluie se remplissaient d'une eau boueuse et blanchâtre, ruisselant sur toute l'allée qui se transformait en un blanc bourbier.

Au centre se trouvaient les écoles, le dispensaire, construits en matériaux légers, les mêmes pour le centre culturel avec la bibliothèque, la crèche-garderie, tous dévastés par un cyclone, un an après leur installation. Et puis, il y avait l'église St-Jules transportée là avec ses fidèles des faubourgs.

Mais, les habitants de Lauricisque et surtout les femmes appréciaient par-dessus tout le lavoir, les nombreuses bornes-fontaines et les blocs sanitaires.

Ainsi, la vie était organisée autour de ces structures prévues pour des séjours temporaires, juste pour attendre la construction des immeubles dont les habitants de Lauricisque seraient prioritaires.

Pour Mélody, la vie à Lauricisque pourrait être une vie communautaire et elle essayait tout autour d'elle, de faire naître cette conception de la vie. Elle considérait son nouveau quartier comme un grand village extensible au fil des jours. Seulement, elle regrettait qu'il n'y ait pas beaucoup plus d'arbres et d'espaces libres autour de chaque case pour des petits jardins caraïbes : quelques sillons de patates douces, du maïs, des gombos, des bananiers, des melons, des fleurs et des crotons aux couleurs vives qui chatoieraient au soleil. Mélody se demandait :

- Pourquoi la vie ne serait-elle pas ici, comme à Bonne-Espérance, une vraie vie de famille ? Une grande et même famille.

Pendant tout son congé de maternité, elle s'était adonnée avec ardeur à semer les graines de cette pensée et à essayer patiemment de la faire prendre comme elle le ferait pour une plante précieuse et rare.

Ainsi, au lavoir, elle aidait celles qui avaient beaucoup trop de linge à laver, offrait du savon ou une boule de bleu à celles qui n'en avaient pas. Elle garda chez elle pendant tout son congé la petite Gréta, une fillette de quatre ans que la mère attachait au pied de la table avant de partir au travail. La première fois qu'elle avait aperçu la petite, couchée à plat ventre, comme un chiot apeuré et triste, Mélody avait manqué tomber à la renverse. Elle n'avait pas hésité une minute à rentrer dans la case, et vite, avait détaché la fillette qu'elle avait prise dans ses bras et emmenée chez elle, jusqu'au retour de la mère qui lui avait expliqué :

- Gréta est fascinée par la mer, si je ne l'attache pas, elle s'en va et toujours au bord de la mer. Deux fois, elle est tombée à l'eau et a failli se noyer. Que puis-je faire ? Il me faut travailler et je n'ai personne pour me la garder.

La case de Mélody était toujours remplie d'enfants, certains qu'elle gardait monentanément pour permettre aux mamans de courir vite en ville faire leurs courses, d'autres y venaient d'eux-mêmes, sachant qu'ils y trouveraient avec le sourire et les caresses, quelques friandises : sucre d'orge à touche, farine coco, kilibibi (6).

_____

(6) Mélange de poudre de maïs, cacahuètes et noix de coco, le tout grillé et sucré.

A côté de cela, Mélody essayait d'attirer les femmes hors de leur train-train quotidien.

Elle entraînait une ou deux au cours de coupe et de couture, d'autres aux petites causeries et à toutes ces petites activités que Cicie organisait à l'intention des jeunes mamans dans une salle attenante au dispensaire. Mélody fut pendant longtemps la seule adulte à fréquenter la bibliothèque. Elle avait la passion de la lecture. Elle l'avait couvée doucement dans l'obscurité du galetas de ses patrons de la Grand-rue sur les conseils de Monsieur Bruno.

Lorsqu'elle lisait, c'était comme si on tirait des rideaux qui se levaient sur la scène de la vie, et elle se vautrait dans une sorte de bien-être et d'extase, ce qui faisait enrager Ornésiphore.

Au fur et à mesure qu'elle faisait connaissance avec le savoir par les livres, elle comprenait de plus en plus les faits qu'elle vivait jusque-là sans aucune réaction, et plus, elle comprenait de mieux en mieux son environnement. Mélody trouvait tant de joies et d'émotions dans les livres, qu'elle voulait partager cette richesse avec les autres femmes et s'était juré d'en faire venir quelques-unes à la bibliothèque.

Alors, au lavoir, elle se mit à raconter en créole les histoires qu'elle tirait des livres qu'elle lisait par les longues nuits de solitude au cours desquelles Ornésiphore partait à la pêche.

Elle leur parlait aussi de la vie des femmes dans d'autres pays et aussi de leurs luttes, renseignements qu'elle recueillait des journaux et revues que Cicie lui portait régulièrement. Le lavoir était devenu un pôle d'attraction et les femmes aimaient y aller pour entendre et commenter les histoires que racontait Mélody.

- Mais où prends-tu toutes ces histoires ? lui demandaient-elles.

- Pas loin, juste à côté, à la bibliothèque, dans les livres, répondait-elle en riant, montrant du doigt la salle de la bibliothèque.

Ainsi, elle intéressa bien des femmes et suscita le goût de la lecture chez plus d'une qui prirent tout naturellement le chemin de la bibliothèque, désireuses de lire elles aussi toutes ces histoires que Mélody racontait avec tant de piment.

Mélody aimait cette vie communautaire qui lui rappelait un peu Bonne-Espérance et elle se demandait si elle aurait le courage de la quitter. Encore une dure épreuve. Mais dès le début, Lauricisque ne fut pour elle qu'un lieu de passage. Elle s'y sentait comme une touriste, il n'était pas question d'y prendre racine. Elle attendait donc avec impatience son nouveau logement. Les immeubles sortaient d'ailleurs de terre assez rapidement. Mélody les regardait de loin monter vers le ciel, et l'espoir au cœur, elle se disait :

- Un jour, je serai là-haut, à l'intérieur d'un de ces beaux bâtiments qui poussent à la place des marécages et des cloaques des faubourgs.

Chaque fois qu'elle descendait en ville, elle ne manquait jamais de passer par les chantiers pour examiner de près les bâtiments. Vitalien, l'ami de Célia, y travaillait. Un jour qu'elle rôdait par là, il la vit et la fit entrer et visiter les lieux. Il lui montra l'emplacement de la salle, le séjour comme il disait, et de la chambre. Mais Mélody, elle, s'enquit surtout de la place de la salle de bains, du watter et de la cuisine. Elle était rentrée chez elle, ce jour-là, enthousiaste et surexcitée, invitant Ornésiphore à aller, lui aussi, voir ces logements.

- Aller voir, mais pourquoi faire ? lui avait-il répondu durement.

- Pour avoir une idée déjà de ton nouveau logement, avait expliqué naïvement Mélody.

- Alors, tu crois, en ton âme et conscience, que je laisserai un logement où je suis bien à mon aise et surtout pour lequel je ne paie pas un sou, pour aller payer un loyer dans un kaloj (7), tu n'es pas brindezingue, non ? jeta Ornésiphore d'un ton persifleur, insolent même.

---

(7) Cage à poule ou lapin.

Mélody s'était tue, oppressée, presque en larmes.

Ornésiphore aimait beaucoup Lauricisque. Il passait tout son temps libre maintenant au bord de la mer à tresser ses nasses ou à faire des filets. Il continuait à traiter Mélody de prétentieuse et ne comprenait rien à ses ambitions.

- Tu veux suspendre ton chapeau plus haut que ton bras, lui reprochait-il, chaque jour.

Mélody ne cessait d'être inquiète de l'attitude d'Ornésiphore qui répétait sans varier :

- Je suis à deux pas de la mer, tout près de mon bateau. Je me sens très bien ici, pourquoi je m'en irais ?

Il envisageait donc de rester dans le quartier, malgré tous les arguments de Mélody qui ne désespérait pas de le convaincre, en même temps qu'elle se préparait, elle, mentalement et matériellement à ce déménagement pour la cité nouvelle.

Elle continuait chaque mois à garnir son enveloppe loyer, dans le but de s'acheter des meubles neufs et modernes. Elle avait puisé un peu d'argent une seule fois : c'était pour acheter un berceau pour Aude qui dormait entre eux et qu'ils avaient tous les deux si peur d'étouffer ou d'écraser pendant leur sommeil. A part cet achat, elle avait décidé de ne plus rien acheter avec cet argent qu'elle destinait à ce petit salon en skaï et au beau lit en verni polyester qu'elle avait zyeutés dans un de ces nombreux magasins d'ameublement qui s'ouvraient au fur et à mesure que les nouveaux logements et les cités nouvelles poussaient à la place des faubourgs sales.

Les disputes se faisaient de plus en plus fréquentes et venimeuses sur ce déménagement et le couple goûtait à l'essence amère de la discorde. Mélody, pour éviter de sombrer dans la désespérance et pour oublier toutes ces scènes pénibles qui empoisonnaient sa tranquillité, s'intéressait de plus en plus à la vie des femmes de son quartier. Elle essayait de les lier dans une communauté de pensées, de souvenirs, d'espoir de jours meilleurs et surtout dans un sentiment d'entraide. Sans être affiliée à aucun parti, elle militait simplement, à sa façon : ouvrir les yeux et la conscience des femmes sur ce qu'elle avait découvert, elle toute seule, à travers toutes les péripéties de sa vie.

Elle plaçait de plus en plus le petit journal traitant des problèmes des femmes que Cicie lui apportait. C'était d'abord cinq, puis se furent dix, vingt, trente et finalement plus de cinquante numéros qu'elle plaçait à chaque tirage.

- Le seul journal féminin du pays, écrit par des femmes, pour des femmes, disait-elle, avec un brin de fierté.

Pendant que Mélody mûrissait silencieusement tous ses projets d'une vie nouvelle dans son futur logement et essayait de noyer ses tracas domestiques de plus en plus cuisants dans une activité débordante, Ornésiphore lui, s'était découvert une nouvelle passion dans les combats de coqs. Passion nourrie par Vitalien, grand amateur de pitt à coq (8). Vitalien possédait un beau coq calagouaille qui était un champion dont la réputation était connue dans presque tous les gallodromes (9) du pays. Il l'appelait Maciste. Maciste avait déjà gagné des dizaines de combats et Vitalien l'aimait plus que tout au monde. Il dépensait presque tout son salaire pour l'entretien du volatile. Sardines, jus de citron, tomates, foie, entraient dans la composition de sa nourriture. Sans parler de sa cure d'huile de foie de morue, de ses frictions et massages avec une composition à base de bay-rhum et mille autres ingrédients fort coûteux. Après tous ces frais, Vitalien ne disposait pas de grand-chose pour le ménage qui reposait presque entièrement sur le maigre salaire de Célia. Elle ne s'en plaignait pourtant pas et disait en plaisantant :

- L'estomac de Maciste est plus fragile que le mien, il faut le soigner.

On ne l'entendait que lorsqu'il fallait laver et nettoyer les crottes que Maciste bien nourri ne se privait pas de sou-

---

(8) Arène où l'on fait des combats de coqs.
(9) Lieu où l'on organise des combats de coqs.

lager tout le long de la journée à l'entrée de la case. Elle disait à Mélody et à Mirette qui louaient sa patience :

- Je ne me frappe pas, car je suis sûre qu'un jour viendra où je ferai roussir Maciste dans mon canari (10). Car il a beau être fort, l'un de ces quatre matins, il trouvera un plus gros zépon (11) que lui.

Et elles partaient toutes les trois d'un grand éclat de rire, présumant la défaite de Maciste.

- Ainsi, Vitalien te donnera un p'tit peu plus d'argent, reprenait Mirette toujours très intéressée.

- Je ne compte pas sur Vitalien pour vivre. Un homme, pour moi, c'est un respect dans une case... Moi, je sais que chaque jour que Dieu fait, je gagne un point sur le destin par mon travail, c'est le principal et je dis : merci Bon Dieu.

Célia savait très bien que Maciste serait bien vite remplacé, car la passion de Vitalien ne s'éteindrait pas avec la mort de son champion... Pour le moment, avec Mélody, elle voyait d'un mauvais œil que Vitalien s'acharnât à initier Ornésiphore à cette passion. Célia suppliait journellement son ami :

- Ornésiphore a un enfant à élever, il ne faut pas l'entraîner dans cette dangereuse impasse.

Pour Mélody, ce fut une autre cause d'inquiétude. Et elle tremblait de plus en plus pour son embellie. Elle sentait bien que depuis leur arrivée à Lauricisque, le ciel s'obscurcissait de plus en plus sur son ménage devenu chancelant. Elle n'aimait pas les nouvelles fréquentations qu'Ornésiphore se faisait chaque jour. Il fréquentait à la buvette deux ou trois bougres que l'on disait d'irréductibles rodomonts, aimant les jeux, la bagarre, brutalisant à la maison femmes et enfants. Il s'était aussi découvert un ancien ami d'enfance, un flemmard sans pareil qui ne semblait avoir qu'une seule activité, celle de lever le coude,

---

(10) Marmite, fait-tout.
(11) Eperon.

avec cela un bon bagou. Un fieffé menteur et vantard de surcroît. Un jour qu'il avait trouvé Ornésiphore à la maison en train de faire un peu de ménage, il s'était mis à se moquer de lui et à la buvette un soir, devant des dizaines d'hommes rassemblés autour des consommations de dominos, il lui avait sorti :

- Tu n'es pas un homme toi...

Et il cria en direction des autres consommateurs :

- Ouais ! il fait ménage et cuisine, je l'ai vu, moi !

Et tous se mirent à rire et à le narguer.

Ornésiphore, honteux, était rentré à la maison avec un visage renfrogné. D'habitude, après le dîner, il faisait un peu de vaisselle et rangeait la cuisine pendant que Mélody s'occupait du bébé mais, ce soir-là, il mangea, se leva, laissant son assiette sur la table et ne s'occupant de rien.

Il fit un petit tour près de Vitalien pour prendre les nouvelles de Maciste, puis rentra, se lava et se mit au lit toujours l'air sombre, sans desserrer les lèvres.

- Tu es malade ? lui demanda Mélody, étonnée de son attitude et de son silence.

- Fou mwen la pé (12), répondit-il violemment.

Mélody, sentant venir l'orage, s'était tue. Elle coucha sa fille, fit sa vaisselle, son ménage, et se mit au lit à son tour.

A partir de cet instant, Ornésiphore ne fit jamais plus ni vaisselle, ni ménage. Le changement était consommé irrémédiablement et leur vie vacillait vraiment vers la cassure. La journée, Ornésiphore s'attardait de plus en plus longuement au bord de la mer avec d'autres pêcheurs, il s'occupait de son bateau, son moteur, ses nasses. Et dès la tombée de la nuit, il partait au rendez-vous de la buvette d'où il rentrait à des heures de plus en plus tardives de la nuit, avec des relents d'alcool insupportables pour Mélody.

Le dimanche, il accompagnait Vitalien au gallodrome. C'était lui qui portait Maciste sur le bras comme un bébé,

_____

(12) Fous-moi la paix.

caressant ses plumes moirées écarlates et noires, fier comme Artaban de porter dans ses bras un champion.

Malgré sa crainte des jeux auxquels on s'adonnait couramment au pitt a coq, Mélody préférait le voir partir avec Vitalien qui était sobre et malgré tout avait un autre esprit que ces fanfarons de la buvette. Ces dimanches-là, Ornésiphore rentrait plus détendu, plus joyeux, très en verve, très tendre même... Mais Mélody pensait que ces quelques minutes de détente ne pouvaient compenser les pénibles heures blessantes et malheureuses puisées à la même source que le sec-sec (13) : la buvette.

Ainsi le temps comme l'éclair passait, et la vie s'écoulait.

Aude allait avoir trois mois, elle poussait bien et se portait comme un charme. En la regardant, Mélody ne pouvait oublier sa petite Aimely maigrichonne et pâlote et elle se disait :

- C'est la tendresse et l'amour qui, autant que le lait et le pain, font pousser les enfants.

Aude était choyée et cajolée pour elle et pour Aimely disparue, et elle donnait d'incommensurables joies à sa jeune maman. Mélody essayait de partager ce bonheur avec Ornésiphore, espérant qu'il allait enfin un jour y souscrire pleinement et s'extasier avec elle devant le sourire divin et le gracieux minois de la petite Aude. Mais les élans du père envers le bébé se faisaient très rares. Mélody un jour mit Aude dans les bras de son père et dit :

- Va sur papa, doudou, fais une petite risette pour papa, c'est ton papa, papa doudou.

Ornésiphore avait gardé le bébé dans ses bras juste une fraction de seconde, et l'avait remis à sa mère sans mot dire. Alors, avec une extrême tristesse Mélody lui avait dit :

- Mais Ornésiphore, il faut qu'on trouve le temps de vivre ensemble, le temps de nous regarder vivre et surtout

---

(13) Petit verre de rhum blanc.

de regarder respirer, sourire, gigoter, vivre notre petite fille, le temps de l'aimer ensemble.

Ornésiphore n'avait pas répondu. Mais un p'tit brin d'attendrissement avait semblé ombrer son visage glabre. Mélody en profita pour lui demander :

- A propos, quand iras-tu reconnaître ta fille ? Pourquoi tu renvoies chaque fois à plus tard ?

- Je le ferai sans faute cette semaine, avait-il répondu.

A ces mots, Mélody s'était mise à espérer fortement qu'avec le temps, une fois qu'ils seraient installés dans leur nouveau logement, loin des trublions de la buvette, leurs rapports s'amélioreraient et reprendraient comme par le passé. Elle était sûre que Ornésiphore, malgré son air bougon, aimait sa fille. Elle misait sur cette petite Aude pour rattraper son homme qui lui paraissait comme un papillon volage. Pourtant, au fond d'elle-même, elle sentait bien que quelque chose s'était brisé entre eux. Cependant, jour après jour, en regardant sa fille, en assumant sa maternité, Mélody se sentait vivre effectivement sa condition de femme. Elle se sentait mûrir aussi, tout doucement, comme une bonne chataîgne créole. La chataîgne aux graines fécondes de la chanson qu'elle aimait tant : Fanm tonbé (14) et qu'elle se surprenait à fredonner même dans ces heures cafardeuses, à la maison en faisant son ménage, ou à la boutique en servant les clients.

Mélody avait repris son travail à la boutique, le cœur plein d'amertume. Elle se levait beaucoup plus tôt pour s'occuper un peu de la maison, réveiller Aude, préparer ses biberons et l'habiller. Il fallait l'emmener chez tante Yéyette avant de prendre le chemin de Carénage. Son trajet avait passablement doublé. Et le soir, rentrée à la maison, il y avait encore le dîner à préparer, le linge à laver et à ranger. Tous les jours, il lui fallait laver les couches de Aude et certains soirs à minuit, elle était encore devant sa table à repasser.

_____

(14) Femme tombée !

Elle paraissait à tous les clients, sombre et soucieuse. Son beau sourire se faisait de plus en plus rare, et elle chantonnait de moins en moins, derrière le comptoir en servant les clients. Chacun sentait qu'elle avait des tourments et qu'elle avait terriblement changé. Triste, silencieuse, secrète, Mélody était torturée de mille craintes et peurs qu'elle gardait au fond d'elle-même. Elle n'en parlait à personne, pas même à Célia. Elle avait surtout honte du fait que la petite Aude ne soit pas encore reconnue par son père. Elle ressentait cela comme une humiliation et ne pouvait en parler à personne.

Alors, elle s'isolait volontairement et ne cherchait pas à voir ses amies. Pas même les plus intimes. Mais Bégonia et Cilote s'étaient bien vite aperçu de sa langueur et de sa tristesse et essayaient d'en détecter la cause :

- Elle doit être déjà prise, elle n'allaite plus la petite Aude. Les jeunes femmes ne veulent plus donner le sein à leurs enfants, c'est une erreur, avait dit Bégonia.

Un jour, Cilote avait rencontré Ornésiphore et elle lui avait fait part de ses craintes au sujet de son amie.

- Mélody se lève trop tôt, se couche trop tard... Avec la petite, le ménage, son travail, elle est fatiguée... Il faut l'aider un peu dans le ménage comme tu faisais avant.

- Jamais voir ça, on nomm sé on nomm ! (15) Si elle est fatiguée, elle n'a qu'à rester à la maison. Moi, je travaille, je peux entretenir ma famille... Mais je ne ferai pas de ménage, n'y compte pas Cilote, avait répondu Ornésiphore, buté.

Lorsque Cilote avait rapporté la conversation à Mélody, croyant que cela lui permettrait de se décharger le cœur, elle lui avait dit simplement et d'un air détaché :

- Ma pauvre Cilote, tu te demandes ce qui arrive à Ornésiphore, je ne peux pas te dire, mais tu sais, nos anciens disaient : fwékanté chyen ou ka twapé pis (16).

---

(15) Un homme, c'est un homme !
(16) A fréquenter des chiens, on attrape des puces.

Elle n'avait rien dit de plus. Cependant, un tumulte effarant comme si un cyclone s'installait dans sa tête et faisait battre son cœur humectait constamment ses yeux et faisait sonner ses oreilles.

Mélody s'enfonçait à nouveau dans la solitude bien qu'entourée d'un homme et d'un enfant. Elle commençait à avoir à nouveau peur de la vie et se disait :

- Ah ! Cette garce de malédiction ne m'avait pas lâchée, elle me poursuit toujours...

Cependant, certaines fois, elle se déclarait décidée à se battre seule contre tous et à aller de l'avant sans se laisser abattre par l'adversité.

- Je ne cèderai pas, je ne baisserai pas pavillon devant le guignon, se répétait-elle alors, bien résolue.

XIII

Au fur et à mesure des arrivées, une autre population tout à fait différente de celle connue dans les faubourgs, avait fait son apparition à Lauricisque.

Des individus louches souvent désœuvrés, des repris de justice venus de partout, s'installaient dans les cases amenées en plus grand nombre. Mélody disait que c'était la gratuité des cases qui favorisait l'arrivée de tous ces indésirables dans ce qu'elle aimait appeler son village.

L'insécurité, les rixes avaient fait leur apparition à Lauricisque, isolant un peu plus chaque jour ceux qui y vivaient. Bien qu'à seulement quelques minutes du centre ville, ce quartier avait été bien vite considéré comme un tiersmonde à la porte de la ville. Certains, dans une intention délibérée, en avaient aussi vite fait un ghetto et, y associant l'idée de redoutables agitateurs, de dangereux communistes, avaient dénommé Lauricisque : Cuba. On ne parlait donc que de Cuba, et tout ce qui se passait de mal en ville était attribué à Cuba. Le moindre petit fait à Lauricisque était intentionnellement amplifié par la presse et surtout par le journal *Menti-Matin* que le grand président avait emmené dans ses valises en cadeau à la Guadeloupe. Il fallait être contraint d'habiter à Lauricisque ou avoir besoin d'y séjourner pour son travail pour aller dans ce quartier. Et les habitants, les décasés comme on les appelait, s'étaient laissés enfermer dans cette réputation désavantageuse. Beaucoup avaient honte de dire qu'ils habitaient à Lauricisque. Lorsque Violetta avait été demander à travailler en ville, la première question qu'on lui avait posée était :

- Vous n'habitez pas à Cuba, j'espère ?

Alors, elle s'était empressée de nier en jurant que non et d'ajouter qu'elle ne connaissait même pas par quel chemin on se rendait dans ce quartier.

Mélody ne pouvait accepter ce reniement.

- C'est pareil, lorsqu'on nous dit qu'il ne faut pas parler de l'esclavage. Pourquoi avoir honte de ce qu'on a été ou de ce qu'on est, comme de ce qu'on est obligé de subir ? disait-elle. Pourquoi ne pas en parler ?

N'empêche que, jour après jour, l'atmosphère changeait à Lauricisque et que les choses tournaient mal. Des touffé yin-yin (1) se mirent à se multiplier au détour des allées. On y venait de loin, d'abord le samedi soir, puis tous les soirs, pour jouer au grenndé (2), manger un bon blaff (3), boire force sec-sec (4) et vin mousseux. Des prostituées étrangères avaient fait leur apparition provoquant des rixes à coups de ciseaux avec celles qui étaient sur place et voyaient dans ces étrangères de dangereuses concurrentes.

Un vent d'imitation avait commencé à dévaster les foyers. Avec la fermeture de l'usine Roujol, des hommes nouvellement au chômage se laissaient entraîner dans les bouges pour essayer de se changer les idées et aussi dans l'espoir de ramasser quelques sous aux jeux.

Mélody s'inquiétait surtout pour les jeunes. Cette flopée de filles et de garçons inactifs. Ils étaient légion qui n'allaient pas à l'école et traînaient toute la journée dans

---

(1) Cabaret malfamé.
(2) Jeu de dés.
(3) Court-bouillon pimenté de poissons.
(4) Petit verre de rhum blanc.

les allées et au bord de la mer, oisifs et vulnérables. Mélody plaignait surtout Violetta qui ne savait où donner de la tête avec sa ribambelle d'enfants. Minerve l'aînée, fillette gentille et prévenante, véritable petite maman, avait subitement changé. Elle avait commencé par faire l'école buissonnière, puis n'avait plus voulu aller à l'école, ni aider sa mère dans les soins du ménage. Elle abandonnait ses petits frères et sœurs, seuls dans la case, pour aller se promener au bord de la mer et en ville, en bande. A douze ans, elle était devenue incontrôlable. Une fois, très tard dans la nuit, Violetta folle d'inquiétude était venue frapper chez Mélody pour lui demander si elle n'avait pas aperçu Minerve dans la journée. Mélody à son tour réveilla Célia et les trois femmes, jusqu'à trois heures du matin avaient recherché en vain la fillette dans tous les lieux malfamés où on savait qu'elle se rendait avec d'autres fillettes. Ce ne fut qu'après trois jours d'absence que Minerve revint l'air égaré et farouche, mais elle n'avait pas voulu dire où elle était.

Violetta se demandait aussi que faire de Stanys, son tout dernier, le préféré de Mélody lorsqu'elle habitait tout près d'eux à Dino. Stanys non plus, n'allait pas à l'école. Mais il ne suivait aucune bande, il préférait aller en solitaire, fouillant les poubelles pour récupérer des bouteilles qu'il allait vendre en ville. Mélody avait demandé à Ornésiphore de le prendre comme moussaillon, car il semblait intéressé par la pêche, passant une bonne partie de la journée au bord de la mer à pêcher lapias, chobèt (5) et palourdes.

C'est un enfant trop sensible, se disait Mélody, et aussi très affectueux.

Un jour, il avait demandé à Mélody :

- Mais pourquoi il n'y a que manman d'lo (6) et pas de

---

(5) Fruits de mer.
(6) Sirène.

papa d'lo, comment, il n'y a donc pas de papa nulle part ? Pas même dans l'eau ?

Et Mélody avait compris le désir du petit d'avoir un père à la maison et elle le plaignait... Elle s'interrogeait aussi sur les idées mystiques de l'enfant. Sur un cahier qu'il tenait secret, il faisait des dessins bizarres, le Christ en croix, le brasier de l'enfer avec une tête d'enfant se débattant dans les flammes. Il avait confié à Mélody qui avait un jour surpris le cahier :

- La tête de l'enfant c'est moi, et le Christ, c'est aussi moi. Moi dans le présent et moi plus tard...

Sur ce cahier, l'enfant copiait aussi des prières, des invocations et des méditations aussi surprenantes qu'inquiétantes pour un enfant de huit ans.

A cette découverte, Mélody était restée interdite et bouleversée, elle se demandait inquiète :

- Mais que se passe-t-il donc subitement dans la tête de tous ces enfants ?

Car il y avait aussi le jeune Florent, fils de sa voisine la plus proche. La mère, qu'elle connaissait à peine, s'était confiée un jour à Mélody, se plaignant du comportement de son fils.

- Il part chaque soir à la tombée du jour et ne rentre que le lendemain matin vers sept, huit heures. Alors il se couche et dort toute la journée, avait-elle raconté, désolée.

- Mais il faut savoir ce qu'il fait, il faut qu'il te dise où il passe ses nuits, il faut lui parler, voisine, il n'a que quatorze ans !

- Ah ! voisine, je ne peux plus parler, et j'ai peur, car il rentre avec de l'argent. Il s'est acheté de beaux vêtements en tergal. Il porte aussi du pain, des saucissons, du jambon, du fromage, des pommes de France, des gâteaux qu'il donne aux plus petits.

- Mais où prend-il cet argent ?

- Je n'en sais rien... Mais il parle souvent de Gosier, et du Canada, je ne sais pas pourquoi, et puis chaque fois que je lui parle, il me rétorque : « Tu crois que moi, je vais croupir comme toi dans la misère. » Mais que faire, voisine, que faire ?

- Ah ! oui, la misère ! tout comme l'oisiveté, c'est un ventre monstrueux qui enfante tous les vices, avait dit Mélody, très angoissée.

- Je t'enverrai voir mon amie Cicie, elle te conseillera et t'aidera car il ne faut pas garder cela pour toi seule, voisine, avait-elle ajouté.

Lauricisque devenait peu à peu un cloaque de misère, de ruine morale et de désespérance. Dans la ruelle parallèle à celle de Mélody, dans une case presque délabrée, sans grand mobilier, s'était installée la jeune femme qui était sortie de la maternité le même jour que Mélody. Elle était restée deux jours invisible et, Mélody, se rappelant du drame du père Fonfonse à Dino, alla frapper à sa porte avec insistance. Lorsqu'elle se décida à ouvrir, Mélody eut beaucoup de peine à la reconnaître tellement elle paraissait amaigrie. Avec un visage émacié, des yeux hagards, elle était dans un état dépressif alarmant. Le bébé lui, était pâle, mou et indolent presque en léthargie. La mère n'avait pas de lait et depuis trois jours ne lui donnait que des biberons d'eau de café. C'était la grande détresse. Détresse, accoucheuse de folie. Cette jeune femme était seule, le mari ancien ouvrier de l'usine Courcelles, ne trouvant pas de travail, était parti en France par le BUMIDOM pour chercher du travail. Il avait laissé sa jeune femme enceinte de trois mois, dans l'espoir de la faire rentrer au plus vite. Il y avait près de huit mois qu'il était parti et n'avait pu rien lui envoyer, n'ayant pas encore trouvé là-bas un emploi.

Mélody se sentait de plus en plus dépassée par les événements, et l'angoisse montait dans son cœur devant une telle dégradation de la situation. Une si rapide déchéance. Elle se demandait : « Que peut-on faire ? » D'autant plus, que Célia parlait depuis quelques temps de partir elle aussi en France car elle ne voyait pas, disait-elle, de solution ni à ses problèmes personnels, ni au pourrissement de la situation générale du pays. Le petit restaurant où elle travaillait, sur le canal, avait subitement fermé.

Célia aurait aimé travailler comme cuisinière, dans un de ces grands hôtels mais elle n'arrivait pas à trouver un boulot quel qu'il soit, ni là, ni ailleurs.

Elle avait déjà fait des prières, des neuvaines à la Vierge, brûlé des bougies et des cierges dans les chapelles. Elle avait même couru les trois jours des Rogations, pieds nus... Tout cela en vain.

Vitalien, lui, dépensait tout son salaire au pitt (7). Et Célia souffrait beaucoup plus de ne pouvoir aider ses parents à Bonne-Espérance que des privations qu'elle ressentait elle-même si cruellement.

- La vie est pourrie dans ce pays, disait-elle souvent, et elle ajoutait, le pays est cruel, inhumain.

- Ne dis pas cela, le pays est humain, il y a du soleil, regarde le ciel, écoute le chant des bambous, lui rétorquait Mélody.

- Les bambous chantent-ils ou bien pleurent-ils ? avait demandé Célia, l'interrompant.

- Moi, je dis qu'ils chantent. Et je dis aussi que notre pays est humain puisqu'on vient de loin y chercher de la détente et du bonheur. Ce sont ceux qui le gouvernent à sept mille kilomètres qui sont inhumains. C'est bien leur plan Némo qui est inhumain, et leur BUMIDOM... Inhumains et injustes, avait débité Mélody passionnée.

Et elle était décidée à se battre avec acharnement pour empêcher Célia, sa meilleure amie, de partir en France.

Cependant les paquebots : Colombie, Irpinia partaient pour la France avec leur cargaison de jeunes et de moins jeunes, filles et garçons, chômeurs ou soldats.

Evenore qui était remontée à Bonne-Espérance après ses couches laborieuses, avait laissé son petit garçon à sa mère et était partie, séduite par le communiqué préfectoral

_____

(7) Combat de coqs.

annonçant que cent vingt postes d'aides-soignantes sont à pourvoir en France.

- Je vais tenter ma chance, avait-elle dit et elle avait ajouté :

- On n'est jamais ni roi, ni reine dans son pays.

Célia, Bégonia, Mirette, tout Bonne-Espérance était venue l'accompagner. Et ce n'était pas simplement la tristesse de la chanson « Adieu foulards, adieu madras » qui avait fait pleurer Mélody mais la peine de voir partir son amie et aussi toute cette nombreuse foule de jeunes de toutes les communes. C'est à ce départ qu'elle avait vraiment compris pourquoi on écrivait sur son journal que le pays subissait une terrible saignée... Elle se demandait :

- Mais où va donc le pays ? Comment sera-t-il après cet hémorragie qui ne s'arrête pas ?...

Dans le même temps, elle avait lu dans *Menti-Matin* une annonce qui lui avait mis la rage au cœur. Elle n'en revenait pas. Elle l'avait relue plusieurs fois pour voir si elle ne s'était pas trompée. « On demande une secrétaire métropolitaine. » Elle ne pouvait en croire ses yeux. Elle avait tellement rouspété qu'Ornésiphore avait cru bon de lui dire :

- Je ne vois pas pourquoi tu te fais tant de mauvais sang... De même qu'on peut aller travailler là-bas, de même ils peuvent aussi venir travailler ici... C'est normal, la Guadeloupe c'est la France, la France c'est la Guadeloupe. C'est normal... C'est normal, répétait-il.

Mélody l'avait regardé avec une moue de dédain et lui avait dit tristement :

- Mon pauvre Siphore, tu ne comprends vraiment rien, et tu ne comprendras jamais rien... Tu es trop bête... Bête à manger du foin...

Elle avait regretté après de l'avoir traité aussi durement. Mais c'était plus fort qu'elle.

Mélody voyait le climat social se dégrader de plus en plus à Lauricisque. Elle sentait la nécessité de faire quelque

200

chose pour cette population qu'elle disait lâchée en chute libre vers la désespérance.

Très souvent, elle partageait ses craintes et son désarroi avec Cicie qui, après réflexion, lui dit un jour :

- Tu as raison, la Mélo, il ne faut pas kayé (8). Il faut relever le gant. Il faut se battre sur tous les terrains. J'ai une idée, puisqu'on appelle le quartier « Cuba », il faut faire voir à la population ce qu'est Cuba, comment on vit à Cuba...

Et avec le concours de la municipalité, elles décidèrent d'organiser dans tous les coins du quartier des projections d'un film sur Cuba.

Le soir prévu pour la première projection, Cicie et son mari étaient arrivés dès huit heures. Toute la journée, Mélody, Célia, Violetta, aidées d'un groupe de jeunes gens conduits par Piopio, avaient distribué des papillons dans toutes les allées, passant de case en case inviter les habitants.

D'un commun accord, on avait opté pour la case de Mélody qui, de l'avis de tous, était très bien placée pour l'opération. Elle était située dans un coin très passant, à l'angle d'une ruelle face à un terre-plein en surplomb de l'artère principale. Après maintes discussions et hésitations, ils avaient fixé un drap sur la cloison de planches entre les portes que Ornésiphore avait conseillé de fermer sur la façade.

- C'est une bonne idée, une idée formidable, répétait Mélody pour l'amadouer sachant sa réticence à l'idée de cette projection chez eux.

Dès les premières notes de musique, les enfants, les badauds commencèrent à s'attrouper et à dix-neuf heures, lorsque le film débuta, tout le terre-plein était noir de monde. Une foule d'abord silencieuse et attentive.

Bien vite quelques réflexions montrèrent la surprise générale :

---

(8) Fuir le combat, abdiquer, reculer.

- Comment ? A Cuba il y a des cocotiers, il y a des filaos comme ici, et aussi des champs de canne ?

- Ah ! Ah ! Il y a aussi des nègres à Cuba ?

Et puis on s'extasiait sur la grosseur des pinces d'un énorme crabe de terre, sur l'étendue des champs de canne, sur les vergers de citronniers, d'orangers et de manguiers s'étendant à perte de vue ; on s'exclamait sur les troupeaux et le bétail.

- Voyez comme les usines à sucre fument, alors qu'ici elles ferment, disait quelqu'un.

- Mais tout le monde travaille, disait un autre.

- Etudiants et fonctionnaires vont aider à la coupe de cannes, c'est épatant, entendait-on encore.

Et c'étaient des commentaires accompagnés de vifs applaudissements.

Juste à la fin du film, on vit arriver en trombe un car de police.

- Mi la polis ! Mi la polis ! (9) entendit-on de toutes parts.

En un clin d'œil, ils sautèrent de leur car et se précipitèrent, quelques-uns essayant de disperser la foule, les autres cherchant à faire main basse sur le matériel et le film.

- Qu'est-ce que vous êtes venus foutre ici ? criait Mélody se dressant comme une furie devant deux policiers.

- Nous avons l'ordre de saisir le film, répondit le chef de la bande.

- Jamais voir ça, avait hurlé Mélody. Nous ne les laisserons pas faire, criait-elle à tue-tête en direction de ses amies.

Une armée de femmes et de jeunes filles, aidées par quelques hommes, se placèrent alors autour de la table où était installé l'appareil de projection, pendant que Cicie et son mari se pressaient de tout enlever.

---

(9) Voici la police ! voici la police !

La foule s'opposait avec énergie aux manœuvres des policiers tout en criant :

- Vive Cuba ! Ici nou à Cuba (10), Vive Lauricisque ! A ba la polis ! (11)

Profitant de la cohue, vite, Ornésiphore fit passer Cicie et son mari par une cour voisine et à travers des dédales inextricables, les conduisit à leur voiture garée en contre-bas dans une ruelle parallèle. Il les aida à embarquer le matériel et avec un petit sourire satisfait, les regarda prendre sans ambages le chemin de la ville.

Pendant ce temps, Mélody et Célia aidées de leurs amies interdisaient l'accès de la case aux policiers qui voulaient à tout prix y entrer, croyant qu'on y avait caché le matériel de projection et le film.

Lorsque Ornésiphore fut de retour, il leur conseilla de les laisser entrer.

- Entrez, entrez messieurs, seulement j'ai mon enfant qui dort, attention à ne pas toucher à un cheveu de sa tête, leur dit-il.

Comme une horde d'excités, une demi-douzaine de policiers pénétrèrent dans la case, alors que quelques-uns cherchaient et fouillaient dans la cuisine, la petite cour et le corridor, les enfants et les jeunes les chahutaient avec des rires moqueurs.

Au bout de quelques instants de recherches infructueuses, ils décidèrent d'abandonner sous les huées et les risées de la foule.

Mélody se sentait heureuse et fière d'avoir mené à bien cette petite manifestation.

- Si elle a motivé l'intervention des forces de répression, c'est qu'elle a une portée, avait-elle dit aux autres.

Et tous pensaient que c'était un succès et qu'il fallait continuer.

---

(10) Ici nous sommes à Cuba.
(11) A bas la police !

Mélody pensait qu'on n'a pas le droit de rester les bras croisés à subir le destin ; il faut agir.

Il faut secouer le destin, disait père Sonson, avait-elle dit à Célia un peu amère et offusquée de la descente de police.

Tout le monde parti, les dernières amies, Célia et Violetta rentrées chez elles, Mélody était restée un bon moment assise sur le seuil de sa porte à réfléchir et à regarder, par delà la mer, les lumières de Petit-Bourg qui perçaient l'obscurité du lointain.

La nuit installée tout doucement, pleurait un serein qui rafraîchissait toute la cité après cette journée chaude à tous les points de vue. Elle sentit monter en elle une grande sérénité, en même temps qu'une grande force.

Alors elle rentra dans sa chambre et jeta un coup d'œil sur Aude qui dormait paisiblement, ignorant tout ce qui venait de se passer. Mélody se pencha vers sa fille et lui murmura dans un souffle :

- Oui, dors tranquillement ma doudou (12), mon tizanj (13). C'est pour toi que maman veut changer cette sacrée vie.

Elle aurait voulu discuter un peu avec Ornésiphore de cette soirée, mais il était parti à la buvette avec ses amis. Mélody avait été étonnée d'entendre sa désapprobation bruyante contre la descente de police. Lui qui avait été si hostile au début de l'organisation de cette projection.

Le lendemain, Mélody et Ornésiphore étaient convoqués à la police et depuis cette soirée des policiers ne cessaient de rôder aux alentours de leur case, interrogeant les voisins sur les activités du couple et ses fréquentations.

Ils avaient été au commissariat, où on leur avait posé des tas de questions. Et puis, on les avait laissés partir.

Au moment de sortir du commissariat, Ornésiphore

---

(12) Ma chérie !
(13) Mon ange !

était revenu sur ses pas et avait demandé au commissaire qui les avait interrogés :

- Mais dites-moi, commissaire, pourquoi ils ont si peur de ce malheureux film, pourquoi ne veulent-ils pas qu'on le voit ?

- Parce que ce film fera de vous des séparatistes dangereux, avait répondu le commissaire.

- Séparatiste ? séparatiste, mais c'est quoi... Qu'est-ce que cela veut dire ? fit Ornésiphore.

- Ce sont de sales communistes qui sont contre la Guadeloupe française, avait expliqué le commissaire.

Ornésiphore ouvrit des yeux égarés, fit un geste naïf de la tête et du bout des lèvres marmonna, presque candide :

- Je ne comprends vraiment rien... vraiment rien...

Mais Mélody elle, avait très bien compris et elle répliqua calmement :

- Moi, je ne sais si je suis séparatiste ou pas, ce que je sais c'est que moi, je suis déjà pour une Guadeloupe guadeloupéenne, ce film ne changera rien de mon côté.

Alors le commissaire se leva brusquement derrière son grand bureau et se mit à crier en pointant un index vengeur sur Mélody :

- Ah ! vous êtes une rouge, vous ! Faites bien attention, on vous aura avec votre complot contre la France... Et on vous en foutra à tous dans la peau, de la Guadeloupe guadeloupéenne, hurlait-il menaçant.

Ornésiphore surpris de voir le commissaire sortir aussi subitement de ses gonds, sur une simple parole de Mélody ne sut quelle attitude prendre.

- Tu aurais mieux fait de fermer ta grande bouche de raisonneuse. Cette manie de toujours raisonner te perdra, avait-il dit, effarouché, et, prenant vite la porte, il avait poussé Mélody devant lui en maugréant :

- C'est tous les livres et tous les journaux que tu lis et les idées qu'ils te fourrent dans la caboche...

- Je t'ai déjà dit que personne ne me met rien dans la tête. Moi, je réfléchis et j'aurais voulu que toi aussi tu prennes la peine de réfléchir un peu à la vie, lui avait répondu Mélody.

- Réfléchir ? réfléchir à quoi ? A vouloir suspendre ma veste plus haut que mon bras ne peut atteindre. Je ne suis pas fou, moi, dit Ornésiphore, et il ajouta sur un ton plaisantin : « D'ailleurs, je n'ai pas de veste. »

Très sérieuse, Mélody reprit :

- Mais Siphore, quel est ton désir, qu'est-ce que tu attends de la vie, que veux-tu au fond du cœur, tu as tout de même envie de quelque chose sur la terre ? Dis-moi un peu ce que tu veux.

- Moi, qu'est-ce que je veux ? Mais vivre ma p'tite vie tranquillement... pas plus... sans complications, voilà !

- Alors tu es un homme sans idéal ?

- Idéal ? idéal ? mais qu'est-ce que c'est que ça encore ?

Mélody n'avait pas insisté. Et elle s'était mise à plaindre bien sincèrement Ornésiphore. Elle se disait à elle même :

- Un homme sans idéal. C'est un homme sans idéal. Il respire, il boit, il mange, il fait l'amour, voilà c'est ça, sa petite vie bien tranquille.

Ils s'en retournaient par les rues très fréquentées de la ville. Ils n'allaient plus côte à côte mais distancés de deux ou trois pas, Ornésiphore devant, Mélody derrière, traînant une indicible tristesse, lorgnait les devantures des magasins.

Un moment, elle leva la tête pour admirer les balcons en fer forgé des grandes maisons en bois, alors monta le souvenir de cet après-midi où, flânant et admirant les belles maisons de la Grand-rue, elle allait voir au « Lait amer » sa petite fille Aimely disparue. Elle sentit une douleur sourde étreindre si fort son cœur qu'elle s'arrêta et porta sa main sur sa poitrine.

Lorsqu'elle reprit ses sens, elle hâta le pas, pressée de rentrer et de retrouver sa petite Aude. Et en pensant à sa fille, elle vit comme le ciel était bleu et sentit combien le soleil était chaud.

Le soir, Mélody éprouva comme un besoin de se rappro-

206

cher de Ornésiphore et l'accompagna jusqu'à son canot au bord de la mer. Pourtant elle voyait bien que la coupe était bue jusqu'à la lie... Il l'avait serrée à l'étouffer en l'embrassant. Il y avait si longtemps qu'il ne l'avait serrée ainsi dans ses bras vigoureux et ne l'avait câlinée avant de prendre la mer. Mélody, malgré son désir de rapprochement, n'était pas transportée par les étreintes de Ornésiphore, elle n'était plus disponible à sa tendresse et cette constatation la bouleversa.

Après le départ du canot, elle resta longtemps à le regarder s'éloigner et lorsqu'il ne fut plus qu'un point imperceptible dans le lointain, elle se mit à fixer du regard son sillage qui restait pour elle comme un dernier lien l'attachant encore à cet homme qui avait disparu vers le large, sur la mer océane. Et lorsqu'elle ne vit plus le sillage du canot, une grande tristesse, mêlée à une vague d'amertume, l'envahit toute entière. Alors elle contempla l'eau et s'arrêta un instant sur la lune qui semblait courir en même temps sur la mer et dans le ciel, et elle se demanda le cœur noyé d'anxiété :

- Peut-on à la fois être sur la mer et dans le ciel ? Peut-on en même temps s'aimer et se détruire, peut-on tout ensemble être vivant et mort ?

XIV

Mélody ne savait pas s'asseoir dans un coin pour se lamenter et pleurer sur son propre sort pendant trop longtemps. Ses problèmes, elle avait appris très tôt dans sa vie à les transcender, et à ne s'arrêter que sur ce qui touchait toute sa communauté.

Rien de ce qui intéressait la vie des deshérités, des faibles, de tous ceux qu'elle considérait comme ses semblables, ne pouvait la laisser indifférente.

Elle cherchait à se rendre utile en aidant, en encourageant, en expliquant ce qu'elle avait compris des choses de la vie ou encore en faisant profiter les autres des connaissances qu'elle puisait de plus en plus chaque jour dans la lecture.

C'est dans toutes ses activités qu'elle trouvait un dérivatif à ses soucis.

La boutique était devenue son terrain d'action favori. Elle aimait ce travail qui lui permettait d'avoir un contact permanent avec les gens, de connaître leurs préoccupations et leurs espoirs.

Elle était devenue, au fil du temps, la confidente de beaucoup de femmes du quartier, la conseillère de bien d'autres. Mais à côté des discussions avec les ménagères, les mamans et les marchandes des campagnes, elle aimait écouter les propos des ouvriers et des employés de l'usine qui venaient à la boutique prendre leur dékolaj (1) ou leur didiko (2).

Elle n'hésitait pas à se mêler à leurs conversations pour donner son point de vue, pour commenter avec eux les événements.

Avec l'année qui commençait, les travailleurs se demandaient, anxieux, ce que l'avenir leur réserverait. Ils parlaient du VIe plan qui promettait surtout du travail.

Mélody les détrompait :

- Quand arrêteront-ils de nous faire des promesses trompeuses ?

Et elle ajoutait :

- Le Ve plan vient de finir, où sont les mille neuf cents emplois qu'il promettait, où est l'usine de fabrication de poudre d'ananas qui devait voir le jour ?

Un jour, les travailleurs parlaient des usines qui se fermaient. Certains étaient inquiets, d'autres affirmaient, confiants :

- On ne fermera pas Bardroussié. S'ils devaient la fermer, ils n'auraient pas fait venir pour les champs trois machines qui tronçonnent la canne et la chargent en même temps...

- Il faut veiller au grain, il faut se battre, leur disait Bertobin, on ne sait pas jusqu'où ils iront avec leur concentration.

- Les machines, mais c'est pour mater la combativité des travailleurs, s'écria Mélody. Vous comprenez, continua-t-elle, les ouvriers agricoles, ils sont trop dynamiques... Souvenez-vous ! Ils ont osé descendre en ville et faire leur marche de la faim sur la sous-préfecture, coutelas en main... Avec les

_____

(1) Petit verre de rhum blanc pris le matin à jeun.
(2) Casse-croûte.

machines, il y en aura moins... C'est comme les dockers qui n'arrêtent pas de rouspéter...

- C'est vrai, ils sont en train de liquider cette profession de docker, fit Bertobin.

- Et oui, on construit à Basse-Terre un tapis roulant qui charge automatiquement, et ici à la Pointe, un silo à sucre avec emmagasinement et transbordement automatique... Il n'y aura d'ici quelque temps presque plus de dockers, ni de couseuses de sacs, ni rien... et ils seront tranquilles pour emmagasiner leurs milliards, continua Mélody enflammée.

- Zot tan papal ! (3) avait dit Bertobin, un tantinet moqueur.

Mais les hommes réfléchissaient et approuvaient :

- Manzé (4) Mélody a raison.

- Belles paroles, belles vérités, tout ce qu'elle vient de dire.

Ainsi Mélody, par ses arguments, aidait les autres à réfléchir et à comprendre les événements.

Autant elle condamnait les bras croisés, autant elle désapprouvait l'impatience et l'inconscience.

Inopinément, Monsieur Bruno apparut un matin aux portes de l'usine, accompagné de deux autres jeunes gens. C'était déjà midi, les ménagères étaient occupées à donner le déjeuner à leurs écoliers. Seule la buvette commençait à avoir une petite affluence. Les ouvriers du quart de treize heures arrivaient petit à petit pour relever ceux du quart de cinq heures du matin.

- Oh ! Monsieur Bruno, oh ! que faites-vous ici ? Comment allez-vous ? cela fait un bon bout de temps que je ne vous ai rencontré, héla Mélody par-dessus son comptoir.

- Ah ! tiens, Mélody, fit Bruno en s'approchant, content de la voir. C'est ici que tu travailles ?... Je savais que tu étais dans les parages... mais je me demandais dans laquelle de toutes ces boutiques tu pouvais bien être.

_____

(3) Vous avez entendu la parole !
(4) Mademoiselle.

- Oui, c'est ici que je suis, mais vous, M. Bruno, quel bon vent vous amène ?

- Nous sommes venus placer quelques journaux et parler un peu aux travailleurs.

- Comment, c'est un nouveau journal ? Monsieur Bruno, je ne crois pas que c'est le journal que l'on dit fait à Hong-Kong, à Bruxelles ou je ne sais où, fit Mélody en riant.

- Oh ! non, ça viendra peut-être, répondit Bruno en riant lui aussi, non c'est pas encore ça, c'est le bulletin des jeunes. Tiens, je t'en donne un.

Mélody, les coudes appuyés sur le comptoir, commençait à lire le petit journal. Dès les premières phrases, surprise, elle s'était dit, médusée :

- Je ne comprends pas... Mais qu'est-ce que je lis là ? Oh ! Oh ! Monsieur Bruno a donc changé son fusil d'épaule ?

Mais elle n'eut pas le temps de lui demander des éclaircissements, puisqu'une discussion s'était installée entre les trois jeunes gens et un groupe d'ouvriers parmi lesquels Bertobin qui disait :

- Alors, il fallait rester les bras croisés et laisser le champ libre à ce que Monsieur le Pitre appelle la gollocyline (5). Et bien, je crois qu'il fallait lui dire, que nous ne voulions pas de ce médicament, et il ajouta en riant : « C'est un fortifiant pour les golomin (6) des dalots. »

- Mais il n'y a pas seulement leur participation à ces élections présidentielles, reprit Bruno, il y a surtout qu'ils ne veulent pas prendre le maquis et s'engager dans la lutte armée pour chasser les maîtres-blancs étrangers.

- Et vous aider à installer vos amis les maîtres-grands mûlatres et bourgeois guadeloupéens, répliquait Bertobin.

Mélody voulait savoir ce que pensait vraiment le garçon ; elle lui dit d'un ton neutre :

---

(5) Appellation donnée au gaullisme par un dirigeant R.P.R. de l'époque.
(6) Guppys.

- Monsieur Bruno, il faut donc prendre les armes comme en Algérie ?

- Parfaitement... Avec l'influence que ces messieurs ont, s'ils disent aux ouvriers, aux dockers, aux travailleurs de prendre les armes, ces derniers marcheront.

- Vous le croyez vraiment, répondit Mélody.

- Bien sûr Mélody, tu ne crois pas que les gens de Bonne-Espérance par exemple descendraient des mornes avec leurs coutelas et leurs gourdins, comme dans la grande grève dont tu m'as parlé, tu te rappelles ? hein ?

- Les gens de Bonne-Espérance ! Mais où sont-ils les gens de Bonne-Espérance ? Ils sont en France ou à Lauricisque après avoir passé par les faubourgs. Et ils n'ont plus ni sabre, ni houe, ni manche à houe, avait répliqué Mélody vertement.

Elle était très déçue du changement qu'elle avait entrevu chez Monsieur Bruno. Elle essayait de l'excuser en se disant tristement :

- Ce n'est pas étonnant avec ses origines, son milieu, les fréquentations de son père... Quoi qu'il puisse dire ou faire, il restera toujours de la race des privilégiés, qu'il le veuille ou non, il reste un riche héritier.

Le quart venait de sonner, les ouvriers s'étaient dispersés et les jeunes gens étaient repartis dans leur B.M.W.

Mélody, elle, était restée pensive et soucieuse, toute l'après-midi. Elle se souvenait d'une parole que Cicie lui avait dite il n'y a pas bien longtemps, elle n'y avait pas prêté attention, mais elle comprenait maintenant le sens de cette phrase :

- La main de l'ennemi se fait sentir partout, même dans nos rangs.

Elle comprenait... puisqu'elle suivait tout ce qui se passait et réfléchissait. Ainsi, le lendemain soir, elle se rendit à la réunion publique pour l'édification du stade municipal.

Lorsque Bertobin la vit arriver, sa petite Aude sur le bras, il ne put retenir sa joie en lui disant :

- Tu sais, Mélody, en entendant tes questions à ton cher

Monsieur Bruno, j'ai eu peur au début que tu ne sois d'accord avec lui... Mais ta parole par la suite, a fait plaisir à tous.

Mélody prenant un air courroucé, lui avait répondu en le toisant des pieds à la tête :

- Tu ne m'as pas regardée, cher camarade... M. Bruno est de la race des maîtres, moi je suis de celle des esclaves. Ouais ! la race des nègres à houe, nègres à sabre (7), nègres à cann (8) comme disait mon vieux père Sonson.

La réunion battait son plein. Aude passait de main en main, se trémoussait, faisant à tout le monde de larges sourires, laissant voir d'adorables fossettes au centre de ses petites joues rondes. Elle agitait aussi ses mains lorsqu'elle voyait sa maman applaudir aux propos d'un orateur.

- Devant l'incurie de l'administration, nous avons décidé de construire nous-mêmes notre stade, de nos propres mains, avec les mains de nos jeunes Pointois.

Et de voir au même moment Aude agiter ses petites mains comme pour approuver, on disait dans la foule :

- Ce sera une future militante... ou encore :

- Bon sang ne saurait mentir...

En rentrant à la maison ce soir-là, Mélody avait été étonnée d'y trouver Ornésiphore qui avait pris l'habitude de rester de plus en plus tard à la buvette.

- Comment, tu es là ? lui dit-elle.

- Bien sûr que je suis rentré très vite, croyant que Aude était seule, puisqu'on m'a dit t'avoir vue avec tous tes amis devant le centre culturel, lui répondit Ornésiphore, hargneux.

- Ah ! tu as soudain un p'tit brin d'attention pour ta fille, c'est bien... Qu'est-ce que tu couves ?

- Qu'est-ce que je couve ? Et bien, j'en ai assez d'être la risée des autres... Je dis que c'est fini toutes tes histoires diaboliques, car tout le monde dit que tu cherches à com-

---

(7) Coutelas, machette.
(8) Canne à sucre.

pliquer ta vie avec toutes les idées que tu mijotes dans ta tête et tous ces gens que tu fréquentes. Je vais mettre un holà à tout ça... C'est fini tout ça...

- Qu'est-ce qui est fini ? Je ne te comprends pas...

- Mais tes sorties, tes réunions, tes tracts, tes journaux et toutes tes mauvaises idées, car c'est ma vie que tu vas compliquer avec tout ça. Je t'ai dit déjà que je veux mener ma petite vie tranquillement, criait Ornésiphore de plus en plus rageur.

Mélody le regardait, surprise, mais se ressaisissant vite, elle dit d'un ton calme et résolu :

- C'est fini ?... C'est toi qui le dis... Moi, je te dis que cela ne fait que commencer.

- Sais-tu ce que l'on dit de toutes ces femmes qui, comme toi, s'occupent des choses qui ne concernent point les femmes ?

- Non, je ne sais pas... Dis-le moi donc.

- Je préfère ne pas te le dire, avait alors répondu Ornésiphore.

Mélody essayait de garder son calme, et, parlant posément, elle avait ajouté :

- Je sais ce que peuvent dire tes amis de la buvette et ce que tu peux penser avec eux. Mais cela ne peut rien changer à mon attitude.

Elle s'était occupée de changer sa fille et de la coucher en causant quelques minutes avec elle comme chaque soir.

Elle avait compris aisément ce qui s'était passé à la buvette et savait que la soirée était une fois de plus à l'orage et n'avait pas voulu continuer la discussion.

Elle se rendit dans sa petite cour pour rentrer les objets pour la nuit. La nature était sereine. La brise qui venait de la mer passait doucement dans les branches des arbustes. Elle était fraîche et lui faisait du bien. Et la lune, dominant une multitude d'étoiles, montrait là-haut sa bonne face ronde et pleine qui illuminait la cour, les autres cases, la grand-place par-delà la plate-forme.

Il semblait à Mélody que cette douce clarté se répandait

aussi à l'intérieur d'elle-même et baignait tout son être, et elle se disait :

- Oui, maintenant, je vois bien clair en moi, tout est clair dans mon esprit.

Cette nuit-là, Mélody ne dormit guère. En faisant une rétrospection de sa vie avec Ornésiphore et considérant la qualité de leur relation, elle s'était avoué déçue :

- Il n'y a pas de bonheur dans cet amour-là...

C'était comme une découverte pour elle. Elle était depuis longtemps consciente du manque de communion entre eux, mais pour la première fois elle était arrivée à cette question :

- Dans ces conditions, est-il salutaire de continuer à vivre ensemble ?

Depuis, jour après jour, cette question la torturait et la hantait. Ils continuaient pourtant à vivre côte à côte, elle tenait encore les cordons de la bourse puisque Ornésiphore lui portait toujours l'argent de la pêche.

- Mais est-ce suffisant, l'argent, pour assurer la survie d'un couple ? se demandait-elle.

Mélody sentait qu'il lui fallait, à elle, autre chose. Beaucoup plus. Pendant toute son adolescence, elle avait couru après le furet. Il lui en avait fait baver jusqu'au jour où elle avait cru l'attraper, et ne voilà-t-il pas qu'elle constatait qu'il court, qu'il court encore le furet...

Elle découvrit en même temps, d'une façon angoissante, toute la responsabilité qu'elle avait sur ses seules épaules, la responsabilité de la famille qu'elle avait tant voulue avoir.

- J'ai un enfant maintenant et peut-être deux dans quelques mois. Ce sera à moi de les protéger de la bassesse et de la servilité qu'enfante ce système cruel dans lequel nous sommes tous enfermés.

Elle avait enfin compris qu'elle ne pouvait s'en remettre à quiconque, qu'elle ne pouvait compter que sur elle-même pour cette tâche qu'elle estimait aussi importante que de donner la vie.

- Et comment les protéger de ce système si ce n'est pas lutter pour le briser, le détruire, pensait-elle.

Elle réfléchissait sans répit sur l'attitude d'Orniséphore, sur son aveu au commissariat, sa naïveté et surtout son ignorance... Il était sincère lorsqu'il avait avoué au commissaire ne rien comprendre.

Mélody se persuadait qu'il n'y aurait jamais ni ouverture, ni compréhension dans l'esprit d'Ornésiphore, et elle se répétait sans cesse, comme pour s'en convaincre elle-même :

- Je ne pense pas vivre toute ma vie avec cet homme... Ce ne serait pas vivre, d'ailleurs... J'aime trop la vie, et je veux la vivre pleinement...

C'était dans son ardent amour de la vie que Mélody avait trouvé cet élan, chaque fois de plus en plus étonnant, avec lequel elle avait surmonté toutes les difficultés dont son existence avait été émaillée.

C'était aussi dans l'amour des autres, l'intérêt qu'elle portait à leurs problèmes, qu'elle puisait sa force de vivre. Cette foi en la vie, non seulement pour elle, mais pour les autres, enfants, femmes, hommes révélait un noble caractère.

Et c'est cette qualité qui lui était tout à fait naturelle, qui, d'après elle, faisait défaut à Ornésiphore. Lui qui ne s'était jamais inquiété de participer, de près ou de loin à quelque affaire ou situation que ce soit, ne pouvait connaître son besoin de se donner, ni sa satisfaction.

Et en pensant à leurs enfants, Mélody se disait :

- Je ferai tout pour que mes enfants connaissent, eux, cet épanouissement de leur vie.

Elle ne voulait pas qu'ils puissent sombrer dans la routine et l'indifférence que connaissait leur père.

- Il faut, même une fois dans sa vie, comprendre le sens de la responsabilité que l'on a pour tout ce qui se passe autour de soi, pensait-elle.

Mélody, elle, l'avait compris très tôt dans la souffrance, la solitude et le désarroi mais aussi dans les légendes, paraboles, dans toutes ces histoires des événements du passé dont le père Sonson avait imprégné son esprit depuis sa plus tendre enfance.

- Je ne saurais me contenter de la vie hermétique dont se suffit Ornésiphore... Nous sommes à la croisée des chemins, chacun doit prendre celui qui lui convient.

Mélody savait avec assurance maintenant, que tôt ou tard, elle se séparerait un jour d'Ornésiphore. Elle ne savait pas comment cela arriverait, à quelle occasion l'heure sonnerait ; ce qu'elle savait intuitivement, c'est qu'elle le quitterait.

Les jours passaient pendant lesquels elle nourrissait cette certitude. Il y en avait une autre qu'elle voulait avoir mais qui ne changerait rien à sa résolution.

Un matin, elle n'alla pas au travail et se rendit au dispensaire où elle eut l'assurance de sa nouvelle grossesse. Voyant son peu d'enthousiasme, Cicie lui avait dit :

- Que se passe-t-il, Mélody ? Depuis quelque temps on dirait que lezongan pajis (9) ? On dirait que ça ne va pas...

- Pas comme je le désirais. Je voulais méwé (10) la solitude. Je voulais tordre le cou au guignon, mais...

- Tu as Aude et bientôt un autre, avait dit Cicie.

- Oh ! justement, grâce à Aude, je joue au cho (11) avec la solitude... C'est vrai, la vie me semble moins vide maintenant, je ne suis plus seule avec moi-même... Mais pour le guignon, je ne suis pas arrivée à le dompter, j'ai toujours sa peur dans le ventre, avait répondu Mélody, très grave.

- As-tu déjà reconnu ta fille ? avait ajouté Cicie.

- Non, j'attends toujours Ornésiphore. Chaque jour il dit qu'il ira à la mairie mais les jours passent, la petite n'est pas reconnue et voilà qu'il y aura un deuxième.

- Il te faut prendre une décision, Mélody. C'est à toi seule de jouer et de bien jouer, Aude, c'est ta fille... Tu as, toi aussi, une responsabilité envers elle, une responsabilité

---

(9) Rien ne va... Ça ne va pas sur des roulettes...
(10) Se cacher de.
(11) Cache-cache.

qui égale celle de Ornésiphore... Sache, Mélody, sache que la mère c'est comme l'arbre... Réfléchis un peu à cela, avait ajouté Cicie.

Le soir, en apprenant l'heureux événement à Ornésiphore, elle lui parla à nouveau de la reconnaissance de Aude.

- C'est une fille, ça n'a pas d'importance... Ce n'est pas comme pour un garçon, lui avait dit Ornésiphore avec une assurance éhontée.

Et il avait ajouté, presque cynique :

- Ce nouveau, ce sera un garçon, j'en suis sûr. Tu verras, je reconnaîtrai notre garçon, mon fils portera mon nom, pas de problème...

Mélody était restée muette de suffocation. C'était comme si dans sa tête quelque chose avait éclaté d'un coup, projetant comme une bombe mille éclats perçants dans son cœur, dans sa poitrine, dans son ventre. Tout d'abord, elle sembla anéantie, brisée par le coup : puis elle se mit à pleurer silencieusement à chaudes larmes avec seulement un léger tremblement de la tête et de la poitrine, au grand étonnement d'Ornésiphore.

- Pourquoi pleures-tu ? Tu es incompréhensible ! ouais ! tu es une femme vraiment impossible.

Pour Ornésiphore, il n'y avait rien, rien pour justifier un tel désespoir et il dit en haussant les épaules :

- Eh bien, j'irai la reconnaître, ta fille.

Depuis, chaque jour, chaque semaine, chaque mois qui passaient ajoutaient à la peine et au désarroi de Mélody. Elle devenait de plus en plus anxieuse et l'araignée odieuse avait fait sa réapparition dans ses nuits. Finalement, elle avait décidé de ne plus quémander un nom pour sa fille.

Cependant, elle ne pouvait pas s'empêcher de penser, amère :

- Ma fille est déclarée de père inconnu alors que son père est là, bien vivant tout près d'elle, quelle cruauté !

Une douleur honteuse tourmentait Mélody chaque fois qu'à la Caisse d'Allocations Familiales, à la mairie ou au dispensaire, il lui fallait donner l'identité de la petite : Aude Marie Solitude, et qu'on lui disait :

- Lequel, le nom de famille ?

Elle se sentait humiliée, bafouée.

Le temps aidant, Mélody, dans son désarroi, avait fini par concevoir une autre idée de ce qui peut être important pour un enfant et elle se disait avec un certain soulagement :

- Le nom ne compte pas, c'est l'inommé le seul enjeu pour moi maintenant...

Elle exprimait sa volonté de préserver l'avenir et le bonheur, la vie même de son enfant, de cette frustration qui l'accablait et la détruisait elle. Elle, la mère, l'arbre. Comme l'arbre, la mère doit nourrir et protéger. Elle se promettait d'agir en conséquence, et avait compris qu'il fallait à tout prix façonner le moral des enfants avec autant de soins que leur physique.

Elle pensait que cela, elle devait l'expliquer aux autres. Ne pas se taire. Tourner le boudin du silence à l'envers pour que sorte la parole. La parole sans barreau, sans grillage. La parole féconde. Mélody avait enfin trouvé le levain de son action future, et elle savait d'ores et déjà sur quel terrain elle s'engagerait le moment venu.

Ornésiphore ne voyait, ni ne sentait les grandes transformations qui se faisaient dans la tête, le cœur et la conscience de Mélody, un chavirement tel un transfert de pouvoir. Un bouleversement irrémédiable.

Voyait-il même sa transformation physique ? Elle allait sur son septième mois de grossesse. Mélody se demandait mélancolique :

- Mais qu'est-ce qui me retient encore auprès de cet homme ?

Seule une toute petite flaque de joies et de plaisirs l'unissait encore à Ornésiphore. Elle l'alimentait volontairement, comme on souffle sur un feu moribond, non pas pour raviver la flamme mais pour le plaisir de voir scintiller mille étincelles crépitantes et réconfortantes. Les étincelles du souvenir qu'elle avait de leurs premiers émois. A ces moments-là, elle pensait timidement qu'elle devait tout de même un p'tit brin de reconnaissance à cet homme qui l'avait aidée à fonder sa famille, à tordre le cou à la solitude. Mais à côté de cette grappe de révoltes qu'a fait mûrir l'humiliation de la non-reconnaissance de sa fille, cette maigre gratitude n'était rien. C'était comme un petit grain de maïs, an fal a on poul (12).

Mélody savait enfin ce qu'elle devait faire. Elle se décida alors à aller reconnaître sa fille.

- Je suis mère, mais je serai plus, je serai moi aussi, comme Violetta et tant d'autres, mère et père, s'était-elle dit résolument.

Elle se sentait tout d'un coup capable d'assumer cette double responsabilité. Une lourde responsabilité. Mais elle était prête à l'assumer désormais et jusqu'au bout, jurait-elle intérieurement, avec force.

Alors elle s'était rendue à la mairie par un bel après-midi resplendissant de soleil. Elle avait longé le bord de mer. La mer calme scintillait de mille petits éclats au soleil, et Mélody se plaisait à contempler le bleu du ciel se reflétant dans l'eau. Elle portait Aude sur son bras d'une façon particulière, comme un beau tableau, comme un trésor que l'on veut montrer. On aurait dit qu'elle voulait l'exhiber à la face du monde.

- Voilà ma fille, elle est à moi, elle portera mon nom...

Elle traversa le petit jardin rempli de chants d'oiseaux. Les flamboyants étalaient leurs longues bractées florales comme d'immenses parasols rouges. Elle ne pouvait s'empêcher de penser à ce qu'était Dino, à la boue, à la fange, à ce taudis sordide dans lequel elle avait vécu.

Et de voir ce que tout cela était en train de devenir, elle se disait en serrant son enfant sur son cœur :

- Comment ne pas avoir confiance en l'avenir... confiance et espérance, répétait-elle.

---

(12) Dans le gosier d'une poule.

C'est dans cet état d'esprit qu'elle s'était adressée à la mairie, à l'employée de l'état civil :

- Je suis venue reconnaître mon enfant.

- Celui dont vous êtes enceinte ?

- Non ! mais comment ? Je peux déjà le reconnaître celui-là, fit-elle en montrant son ventre pointu.

- Mais si, vous pouvez, si vous voulez.

- Bon ! je reconnais les deux, ma fille qui a dix mois et celui que je porte.

Et pendant que l'employée faisait ses écritures, presque rageusement, Mélody murmurait entre les dents, à l'intention de Ornésiphore :

- Eh bien, tu ne reconnaîtras aucun, ni garçon, ni fille, c'est moi qui te le dis. Et la morale alors !

Elle savait qu'à partir de cette minute la cassure définitive était faite dans leur vie.

Et lorsqu'elle se répétait : Et la morale ! elle pensait avec une certaine fierté, une grande satisfaction : Et la dignité alors !

De retour de la mairie, ce jour-là, Mélody trouva la lettre de la société immobilière lui apprenant qu'un logement de trois pièces lui était attribué à Bergevin.

Pour la forme, elle en parla à Ornésiphore qui lui fit comprendre que cela ne l'intéressait nullement, qu'il ne délogeait pas et restait à Lauricisque.

Mélody ne discuta pas. Réfléchie et résolue, elle avait décidé de prendre ce logement et de s'en aller. De partir seule avec sa fille, sans Ornésiphore.

Avec une grande émotion, elle déclara :

- Maintenant je me remets sérieusement en quête de ma vraie voie. La voie radieuse de la vie. Le moment est venu.

Mélody, sans bruit ni tapage, avait accompli au plus profond d'elle-même une sorte de révolution sociale. Maintenant, se sentant prête pour un choix mûrement réfléchi, elle allait affronter une nouvelle vie.

Elle jeta au loin un regard triomphant sur les immeubles qui avaient poussé à la place des faubourgs sales. Et confiante en l'avenir, le cœur débordant d'espoirs, l'espoir de jours meilleurs remplis de mélodies joyeuses, elle lança au vent et au soleil :

- Bonjour la vie !

Table des chapitres

Chapitre I.. 11
Chapitre II... 27
Chapitre III.. 43
Chapitre IV.. 62
Chapitre V.. 76
Chapitre VI.. 92
Chapitre VII.. 107
Chapitre VIII... 119
Chapitre IX.. 132
Chapitre X.. 146
Chapitre XI.. 162
Chapitre XII... 178
Chapitre XIII... 194
Chapitre XIV.. 208

Achevé d'imprimer par Corlet, Imprimeur, S.A.
14110 Condé-sur-Noireau (France)
N° d'Imprimeur : 10550 - Dépôt légal : mars 1989
Imprimé en C.E.E.